LANGENSCHEIDT-LEKTÜRE 69
STORIE CRIMINALI

Weitere Titel dieser Reihe:

ENGLISCH

4 **Strange Adventures**	Abenteuergeschichten, die sich besonderer Beliebtheit erfreuen.
13 **Dreizehn Whodunits**	Kriminalgeschichten u. a. von Agatha Christie, O. Henry und Saki.
15 **Laugh and be merry**	Köstlicher britischer Humor in Short Stories und Witzen.
42 **Short Stories**	Ausgesuchte Erzählungen, die sich durch ihren hervorragenden Stil auszeichnen.
60 **Humorous Short Stories**	Spaßige Situationskomik und amüsante Schlaglichter auf engliche Originalität.
61 **The Birds/Kiss Me Again, Stranger**	Hier — die Vorlage für Hitchcocks Thriller, dazu ein weiterer Shocker.
66 **A Steinbeck Reader**	Drei Kurzgeschichten des großen amerikanischen Erzählers.
67 **Murder! Murder? Murder!**	Vier Mordgeschichten und vier ungewöhnliche Täter — besonders spannende Lektüren.

FRANZÖSISCH

44 **Nouvelles françaises**	Eine Sammlung literarisch interessanter französischer Novellen.
57 **Textes Français Modernes**	Humoristische und ernste „Auskünfte" über historische und kulturgeschichtliche Themen.
62 **Thanatos Palace Hotel**	Novellistische Kostbarkeiten, wie sie nur aus der Feder André Maurois' fließen können.
63 **Fête-Dieu**	Vielfarbige Skizzen Marcel Jouhandeaus aus dem französischen Provinzleben vom Mystisch-Traumhaften bis hin zum „esprit gaulois".
68 **Humour à gogo**	Typische Witze sind in diesem Lektüreband mit humorvollen Kurzgeschichten vereinigt.

ITALIENISCH

7 **Un po' di tutto**	Aktuelle Einblicke in die Verhältnisse des Landes und in das Geistesleben des Volkes.
21 **Novelle italiane**	Unterhaltende Beiträge bekannter italienischer Novellisten.
64 **Troppo Ricca**	Alberto Moravia — der sicher bekannteste italienische Schriftsteller —, hier der Autor wirkungsvoll pointierter Erzählungen.
69 **Storie criminali**	Moderne italienische Kriminalgeschichten — sie halten den Leser bis zur letzten Zeile gefangen.

RUSSISCH

55 **Moderne russische Erzählungen**	Typische Kurzgeschichten, teils humoristisch, teils ernst.
56 **Leichte russische Kurzgeschichten**	Populäre Aufsätze, Anekdoten, Sprichwörter und Kurzgeschichten.

SPANISCH

36 **Cuentos Españoles**	Charakteristische Erzählungen aus dem spanischen Volksleben.
58 **Lecturas Amenas**	Humorvolle Erzählungen in spanischer Umgangssprache.
65 **Rodando por España**	Interessante Einblicke in das Alltagsleben des spanischen Volkes.

Langenscheidt-Lektüre 69

Storie Criminali

Italienische Kriminalgeschichten

LANGENSCHEIDT
BERLIN · MÜNCHEN · WIEN · ZÜRICH

Die inhaltliche Auswahl und Bearbeitung dieses Bandes erfolgte durch Dr. Paolo Giovannelli

Abkürzungen

engl.	englisch
et.	etwas
f	weiblich
f/pl.	weibliche Mehrzahl
j-m	jemandem
j-n	jemanden
m	männlich
m/pl.	männliche Mehrzahl
od.	oder
qc.	qualcosa *etwas*
qu.	qualcuno *jemand*
v.	von

Auflage: 5. 4. 3. 2. 1. | Letzte Zahlen
Jahr: 1978 77 76 75 74 | maßgeblich

Druck: Druckhaus Langenscheidt, Berlin-Schöneberg
Printed in Germany · ISBN 3-468-44690-X

Vorwort

Wie die übrigen Bände unserer Verlagsreihe „Langenscheidt-Lektüre" soll auch der vorliegende Band „Storie Criminali", der Grundkenntnisse der italienischen Sprache voraussetzt, dazu dienen, vergessene Sprachkenntnisse aufzufrischen und vorhandene zu erweitern.

Er enthält Ausschnitte aus italienischen Kriminalromanen, deren Verfasser dafür bürgen, daß der Leser einen umfassenden und echten Einblick in die Eigenart dieser auch in Italien sehr beliebten Literaturgattung erhält. An einer Reihe von Texten wird dem Leser überdies Gelegenheit gegeben, sich mit Ausdrücken der italienischen Umgangssprache verschiedener Sprachebenen vertraut zu machen.

Das beigegebene Vokabular bringt vor allem Ausdrücke und Redewendungen, deren Kenntnis im allgemeinen nicht vorausgesetzt werden kann. Sollte der Leser ein zusätzliches Hilfsmittel wünschen, so empfehlen wir die Benutzung von „Langenscheidts Taschenwörterbuch Italienisch", das ihm nicht nur Aufschluß über die Bedeutung eines unbekannten Wortes, sondern auch Auskunft über Aussprache, Anwendung, stilistische und grammatische Eigenarten usw. gibt.

LANGENSCHEIDT

Indice delle materie

Zur Aussprache des Italienischen

Während die Aussprache der *Vokale* im Italienischen und Deutschen nahezu gleich ist, behält in den *Diphthongen* **au, eu, ai, ei** usw. jeder Vokal seinen vollen Lautwert. So wird **ei** nicht wie im Deutschen ai gesprochen, sondern e–i oder ä–i, das italienische **eu** nicht wie deutsches oi, sondern wie e–u oder ä–u.

Die Aussprache der *Konsonanten* ist im Italienischen und Deutschen weitgehend gleich. Anders als im Deutschen ist vor allem die Aussprache der Buchstaben **c, g** und **s** sowie ihrer Verbindungen.

c vor a, o, u und Konsonanten wie k
c vor e, i wie tsch
ch nur vor e, i wie k
ci vor a, o, u wie tsch

g vor a, o, u und Konsonanten wie g
g vor e, i wie weiches dsch
gh nur vor e, i wie g
gi vor a, o, u wie weiches dsch

s vor Vokalen und stimmlosen Konsonanten stimmlos, vor stimmhaften Konsonanten stimmhaft
sc vor a, o, u wie sk
sc vor e, i wie sch
sch nur vor e, i wie sk
sci vor a, o, u wie sch

z stimmlos oder stimmhaft

gl vor i wie lj
gn stets wie nj

Zur Betonung

Im allgemeinen betont das Italienische die vorletzte Silbe eines Wortes, ohne diese durch einen Akzent zu kennzeichnen (offr**i**re *anbieten*, agitazi**o**ne *Aufregung*, vol**a**nte *Steuer*).

Alle Wörter dagegen, die auf der letzten Silbe betont werden, erhalten den Akzent (pubblicit**à** *Reklame*, cos**ì** *so*).

Dem in der modernen italienischen Schriftsprache sich mehr und mehr durchsetzenden Bestreben, durch Akzentsetzung eine größere Genauigkeit der Aussprache zu erzielen, Rechnung tragend, sind in diesem Lektüreband außerdem alle Wörter, die auf der dritt- oder viertletzten Silbe betont sind, mit dem Akzent versehen worden, und zwar entweder mit dem accento grave (`) oder dem accento acuto (′).

Während das a in den erforderlichen Fällen den accento grave erhält (**à**ngolo *Ecke*, ind**à**gini *Ermittlungen*), werden offenes e und o durch den accento grave (pr**è**mere *drücken*, **ò**pera *Werk*), geschlossenes e und o durch den accento acuto (v**é**dova *Witwe*, nasc**ó**ndere *verbergen*) gekennzeichnet.

Die Vokale i und u erhalten in den erforderlichen Fällen den accento grave (**ì**ndice *Zeigefinger*, p**ù**gile *Boxer*). Um eine falsche Betonung zu vermeiden, sind auch die auf -ia endenden Wörter mit Akzent versehen worden, sofern der Ton auf dem i ruht (autops**ì**a *Obduktion*).

Il candeliere a sette fiamme

di A. De Angelis

«Se avete le prove di quanto affermate, perché non mi arrestate?»

«Prove? Neppure una... Ma, per parlare seriamente, convincétevi anche di questo: se anche avessi le prove, non vi arresterei... o, per lo meno, non vi arresterei ancora...»

«Ah!...» tacque qualche istante, assorto, poi mormorò: «È un giuoco assai più pericoloso di quel che possiate immaginare...»

«Dal momento che non *immàgino* nulla, che cosa può importarmi?...»

Vehrehan stava per replicare e lui lo fermò con un gesto.

«Contìnuo io, altrimenti davvero il tempo non basta...» Il treno rallentava. Fra poco si sarebbe fermato a Mestre. May aveva gli sguardi fissi su John Vehrehan e a tratti le passàvano nelle pupille bagliori di spavento e luci di sùpplica; ma l'uomo ostentava di ignorarla. Aveva smesso di fumare e s'era gettato all'indietro sul sedile; col capo un poco rovesciato, faceva filtrare lo sguardo attraverso le pàlpebre semichiuse e sulle labbra gli aleggiava quel suo sorriso sarcàstico, che era quasi una smorfia, la smorfia macabra dell'uomo ragno in maglia gialla e cranio d'avorio. «C'è un morto a Milano e un moribondo lo abbiamo lasciato poco fa a Pàdova...»

affermare *behaupten*
arrestare *verhaften*
neppure una *gar keine*
convìncersi *sich überzeugen*
se anche avessi *auch wenn ich ... hätte*
per lo meno *mindestens*
tacque (*v.* tacere) *er schwieg*
assorto *gedankenversunken*
assai più pericoloso *viel gefährlicher*
di quel che possiate immaginare *als Sie sich vorstellen können*
dal momento che *da, wenn*
stare per replicare *im Begriff sein zu antworten*
continuare *fortfahren*
altrimenti ... non basta *sonst reicht ... nicht*
rallentare *verlangsamen*
fra poco *in kurzem*
avere gli sguardi fissi su qu. *den Blick auf j-n heften*
a tratti *von Zeit zu Zeit*
bagliore *m Schimmer*
sùpplica *f Bittgesuch*
ostentare *vortäuschen*
sméttere *aufhören*
rovesciato *zurückgesunken*
far filtrare lo sguardo attraverso qc. *den Blick durch et. werfen*
semichiuso *halbgeschlossen*
aleggiare *vorschweben*
smorfia *f Grimasse*
ragno *m Spinne*
cranio *m Schädel*
d'avorio *elfenbeinern*
moribondo *m Sterbende(r)*

Nessuno dei due diede segno alcuno di sorpresa. Sapévano perfettamente quel che era accaduto.

«Dicendo moribondo molto probabilmente esàgero. Quell'uomo se la caverà... e potrà parlare... Molte cose, allora si chiariranno...»

Le mani di miss Bigland fremèttero. Vehrehan non si mosse.

«Ma non è questo che conta... o, per lo meno, non è questo che potrà mutare il corso di quel che si prepara...»

«Forse, sì...»

«Ammettiàmolo... Ma l'uomo è nelle nostre mani. Non credete che sia una carta di più a mio vantaggio?...»

«Diffìcile da giocare...»

«Lo vedremo. Ascoltàtemi bene, John Vehrehan... Io non vi offro un patto...»

«Potrei accettarlo...»

«No!... Non lo accettereste!...»

«Provate lo stesso... Io potrei benìssimo aiutarvi a ritrovare certi foglietti pieni di cifre...»

De Vincenzi dovette dominarsi, per non trasalire visibilmente... Fu con voce pacata che chiese ironicamente:

«Credete che àbbiano un grande interesse quelle cifre?»

«Telefonate all'inferno e Osman Mascali ve ne dirà qualcosa...»

Il commissario sorrise con indulgenza.

«Cattivo mètodo, che non mi sarei aspettato di vedere applicato da voi!... Non bisogna mai disistimare l'intelligenza dei propri avversari... Non è stato soltanto per quei foglietti che

segno *m* alcuno *irgendein Zeichen*
sorpresa *f Überraschung*
quel che era accaduto *was los war*
dicendo *wenn ich ... sage*
esagerare *übertreiben*
cavàrsela (*gut*) *davonkommen*
frèmere *zittern*
non si mosse (*v.* muòversi) (*er*) *rührte sich nicht*
non è questo che conta *das ist nicht ausschlaggebend*
amméttere *zugeben*
a mio vantaggio *zu meinen Gunsten*
offrire *anbieten*
accettare *annehmen*
ritrovare *finden*
certi foglietti *m/pl. gewisse Blätter*
dominarsi *sich beherrschen*
trasalire *auffahren*
ve ne dirà qualcosa (*er*) *wird Ihnen etwas davon erzählen*
con indulgenza *nachsichtig*
non mi sarei aspettato *ich hätte nie voraussehen können*
applicato *angewandt*
disistimare *mißachten*

hanno aperto il ventre all'egiziano...
E io lo so.»

«E per che cosa, allora? Volévano tògliergli un tubetto di sapone per la barba?»

«E se avéssero voluto impedirgli di far colare sette candele di cera?...»

Il ghigno di Vehrehan si accentuò. Seguì un silenzio. La voce della donna soffiò improvvisa, ardente, piena di passione. Parlava in inglese e s'era protesa verso l'uomo ragno, mettèndogli una mano convulsa sul ginocchio.

«John, il candelabro!... Ho paura!... Ho paura!...»

John prese la mano della ragazza e la tolse dal ginocchio, allontanàndola.

«Potreste pùngervi, miss Bigland, con le mie ossa...»

May si ritrasse sul sedile, abbandonàndosi nell'àngolo.

«Non capisco quel che vogliate dire, commissario... Sette candele di cera sono troppe in una càmera e troppo poche...» Si batté una mano sul ginocchio: «Sì, per Giove!... Sono proprio quante ne occórrono attorno a un cataletto, una alla testa e tre per parte... Ma ne manca poi una ai piedi...»

«Quanti cadàveri hanno da illuminare quelle candele?»

La ragazza nel suo àngolo mandò un gèmito. Vehrehan si scosse e sùbito si irrigidì.

«Commissario, il giuoco è più pericoloso di quello che credete... Ve l'ho detto!... Io non ho nulla contro di voi... e gli italiani, anzi, mi sono simpàtici... Date retta a me! Occupàtevi di trovare l'assassino di Osman

che hanno aperto *daß man ... geöffnet hat*
allora *sonst*
tògliere *wegnehmen*
tubetto *m Tube*
sapone *m* per la barba *Rasierseife*
impedire *hindern*
colare *durchseihen*
candela *f* di cera *Wachskerze*
ghigno *m Grinsen*
accentuarsi *zunehmen*
soffiare *ertönen*
protèndersi *sich vorbeugen*
convulso *zitternd*
allontanare *entfernen*
pùngere *stechen, weh tun*
ritrarsi *sich zurücklehnen*
àngolo *m Ecke*
bàttersi *sich schlagen*
per Giove! *zum Donnerwetter!*
occórrere *brauchen*
attorno a un cataletto *um eine Bahre*
per parte *auf jeder Seite*
mancare *fehlen*
avere da *müssen*
mandare un gèmito *stöhnen*
scuòtersi *sich rühren*
irrigidirsi *starr werden*
dar retta a qu. *j-m Gehör schenken*
occuparsi di *sich beschäftigen mit*
assassino *m Mörder*

Mascali… Potete farlo… Forse, lo avete già nelle vostre mani… In quanto ai foglietti con le cifre… Ebbene, ve l'ho detto, ci si può accordare perché io vi aiuti… Ho sempre detestato le cifre, io. Ma abbandonate tutto il resto!… Finché siete in tempo, non cacciàtevi in un'avventura senza uscita per voi…»

in quanto a *was … betrifft*
accordarsi *sich einigen*
detestare *hassen*
finché siete in tempo *solange Sie noch Zeit haben*
cacciarsi *sich hineindrängen*
senza uscita *aussichtslos*

«Vi ringrazio del consiglio, John Vehrehan…» disse De Vincenzi con voce fredda e si volse alla donna: «Miss Bigland, ci ritroveremo domani sull'*Augustus*…»

con voce fredda *in gleichgültigem Ton*
vòlgersi a qu. *sich zu j-m wenden*

L'uomo scrollò le spalle.

«Peggio per voi!…»

scrollare le spalle *die Achseln zucken*
peggio per voi *desto schlimmer für Sie*

De Vincenzi si alzò. Il treno aveva lasciato Mestre e correva sul ponte. Il mare era pieno di luci. Si vedeva il cerchio luminoso di Venezia, bella come una gemma in mezzo all'oscurità profonda del cielo e dell'acqua. Ritto davanti al finestrino, egli rimase qualche istante immòbile a contemplare quello spettàcolo di sogno. A malincuore si strappò da lì, si volse, passò fra le ginocchia dei due seduti, fece scórrere la porta, uscì sul corridoio. Dovette lavorare, nel corridoio, ad aprirsi il cammino, ché tutti i viaggiatori èran fuori dagli scompartimenti a guardare lo spettàcolo della Laguna, coi loro bagagli tra i piedi, per èsser pronti alla discesa.

cerchio *m* luminoso *Lichtkreis*
gemma *f Perle*
oscurità *f Dunkelheit*
ritto *aufrecht*
rimanere immòbile *unbeweglich dastehen*
contemplare *betrachten*
a malincuore *schweren Herzens*
strapparsi *sich losreißen*
vòlgersi *sich umdrehen*
scórrere *gleiten*
dovette lavorare a *nur mit Mühe konnte er …*
ché *da*
èran = èrano
scompartimento *m Abteil*
bagaglio *m Gepäck*
alla discesa *beim Aussteigen*

«Permettete, signor commissario?»

perméttere *gestatten*

Era il giovanotto che aveva dato l'allarme. Tutto sorridente e invitante, gli presentava aperta un'enorme scàtola di sìgari.

tutto sorridente e invitante *mit freundlichem Lächeln*
presentare *vorlegen*

De Vincenzi rifiutò col gesto e sorrise perché lo colpì la stranezza di quel rifiuto, fatto già due volte da che aveva lasciato Milano. Tutti gli offrìvano da fumare e qualcuno col cristiano propòsito di tòglierselo dai piedi... Questo qui, però, era innocente come l'acqua. Tutto fiero per aver cooperato alla scoperta di un delitto, benediceva in cuor suo il caso che lo aveva fatto viaggiare assieme a qualcuno di cui si voleva la morte.

Ormai il treno era uscito dal ponte. Si vedévano le prime case della città. De Vincenzi fece uscire nel corridoio l'agente con le valige.

«Aspèttami davanti all'ufficio di P.S. della Stazione...»

Mise la mano sulla spalla del giovanotto e lo fece sedere. Gli sedette di fronte e lo fissò.

«Sentite, amico mio. Tra pochi minuti il treno si fermerà e io non ho neppure un secondo da pèrdere. Adesso, vi farò poche domande. Rispondétemi con la maggior brevità possìbile. Prima domanda: l'uomo che viaggiava con voi, quando è uscito dallo scompartimento, prima di Verona, lo ha fatto di sua volontà o perché chiamato da qualcuno o perché aveva veduto qualcuno passare nel corridoio?...»

Il giovanotto, preso a quel modo, s'era fatto tutto rosso. Girava gli occhi disperatamente. Corrugava la fronte e stringeva le labbra.

«Non so... Non mi pare...»

«Che cosa stava facendo prima di alzarsi per uscire?»

rifiutare *ablehnen*
colpire *wundern*
da che *seitdem*
offrire *anbieten*
propòsito *m Absicht*
tògliersi qu. dai piedi *j-n loswerden*
innocente *unschuldig*
tutto fiero *sehr stolz*
in cuor suo *im Grunde seines Herzens*
fare viaggiare *reisen lassen*
fece (*v.* fare) uscire (*er*) *ließ hinausgehen*
agente *m Polizist*
P.S. = Pùbblica Sicurezza *f Polizei*
gli sedette di fronte *er setzte sich ihm gegenüber*
fermarsi *halten*
non avere neppure ... da pèrdere *auch nicht ... verlieren dürfen*
fare domande *Fragen stellen*
con la maggior brevità possìbile *so kurz wie möglich*
di sua volontà *freiwillig*
chiamato da qualcuno *von jemandem gerufen*
passare *vorbeigehen*
preso (*v.* prèndere) *hier: ausgefragt*
farsi rosso *erröten*
girare gli occhi *den Blick umherschweifen lassen*
corrugare *runzeln*
strìngere le labbra *sich auf die Lippen beißen*
stare facendo (*gerade*) *tun*

«Nulla!... Teneva lo sguardo fisso verso il corridoio... Per tutto il viaggio non ha fatto che guardare la porta...»

tenere lo sguardo fisso *fest schauen*
non ha fatto che *er hat nichts getan als*

«Ho capito... Si è mai alzato ad aprire le valige? Ne aveva due, vero?... Quelle due che ha portato via il mio agente?»

«Come due?...»

Adesso la sua agitazione s'era fatta davvero impressionante.

agitazione *f Aufregung*

«Ma sì. Non ha veduto? Due valige, di cuoio nero, piuttosto pìccole...»

cuoio *m Leder*
piuttosto *ziemlich*

«Ma ne aveva anche un'altra!... Una strana valigia bislunga, panciuta... Come quelle che sèrvono per portare i violini o le trombe...»

bislungo *länglich*
panciuto *bauchig*
tromba *f Trompete*

«Dove l'aveva?»

«Ma... lì... sul sedile dove adesso state seduto voi... E ci teneva sempre una mano sopra...»

ci teneva ... sopra *er hielt ... darauf*

«Quando è uscito l'ha lasciata sul sedile?»

lasciare *zurücklassen, stehenlassen*

«Sì, certo... Io l'ho osservata tutto il tempo che sono rimasto solo... e mi son chiesto che cosa mai potesse contenere... Uno strano strumento a ogni modo...»

osservare *beobachten*
mi son chiesto (*v.* chièdersi) *ich habe mich gefragt*
contenere *enthalten*
a ogni modo *auf jeden Fall*

«E quando... quando voi siete tornato qui dentro, dopo èsser stato per più di mezz'ora davanti alla porta del lavabo e dopo aver chiamato il ferroviere, quella... valigia c'era ancora?...»

dopo èsser stato per più di ... *nachdem Sie länger als ... geblieben sind*
ferroviere *m Eisenbahner*

«No, perbacco! Adesso mi ci fate pensare. Non c'era più!...»

perbacco! *zum Donnerwetter!*
mi ci fate pensare *Sie bringen mich auf den Gedanken*

«Sta bene, grazie. Null'altro...»

sta bene *in Ordnung*

Appena il treno fu quasi fermo, balzò a terra e si lanciò come un bòlide dentro l'ufficio di P.S.

èssere fermo *zum Stehen kommen, halten*
balzare a terra *herabspringen*
bòlide *m Meteorstein*
lanciarsi come un bòlide *wie der Blitz laufen*

«Sono il commissario De Vincenzi di Milano... Non posso darti spiegazioni, ma la cosa è gravìssima. Fa' circondare il direttìssimo che entra adesso in stazione e fa' perquisire i bagagli di tutti i viaggiatori...»

circondare *umstellen*
perquisire *durchsuchen*

Il commissario di servizio lo guardò con gli occhi spalancati, come se avesse un matto davanti a sé.

«Ma...»

di servizio *diensthabend*
con gli occhi spalancati *mit weitaufgerissenen Augen*
matto *m Verrückte(r)*

«Assumo io la responsabilità!...» e gettò la sua tèssera sul tàvolo. «Ma fa' presto per amor del cielo... Ti spiegherò dopo... Se un solo viaggiatore riesce a uscire e, se porta con sé quel che cerco, può darsi che ancora una mezza dozzina di persone ci riméttano la pelle... Fa' presto, ti scongiuro... Prega l'ufficiale della milizia di gettare tutti i suoi mìliti attorno al treno e alle uscite...»

assùmere la responsabilità *die Verantwortung übernehmen*
tèssera *f Ausweis*
far presto *sich beeilen*
un solo *ein einziger*
riesce (*v.* riuscire) a *es gelingt zu* (qu. *j-m*)
portare con sé *mitnehmen*
può darsi *es kann sein, es ist möglich*
rimétterci la pelle *draufgehen*
scongiurare *beschwören, anflehen*
gettare *schicken*
badare *aufpassen*

«Bada che se qualcuno deve *saltare*, sarai tu!... Mi devi dare l'órdine scritto e firmato...»

saltare *springen*; *hier: den Posten verlieren*
dare l'órdine *den Befehl erteilen*

«Dopo ti darò tutto quello che vuoi!... Ma adesso muòviti...»

muòviti (*v.* muòversi) *hier: tu etwas, mach zu*

I primi viaggiatori stàvano già sulla banchina. I facchini mettévano i bagagli sui carrelli. Il treno si vuotava. Fu un momento di pànico. Si vìdero mìliti e agenti in borghese lanciarsi verso le uscite, córrere alla testa del treno, saltare i binari. Il capostazione,

banchina *f Bahnsteig*
carrello *m Karren*
vuotarsi *sich leeren*
si vìdero (*v.* vedere) *man sah*
córrere alla testa del treno *bis zur Spitze des Zuges laufen*

non sapendo ancora di che cosa si trattasse, gridava come un ossesso, temendo un incendio. De Vincenzi e il commissario di Venezia si èrano messi all'uscita principale.

«Ma si dèbbono perquisire proprio tutti i bagagli?»

La voce del pover'uomo s'era fatta pietosa. Non gli era mai capitata una cosa sìmile! E quel matto, che gli arrivava tra capo e collo all'una di notte!...

non sapendo ancora *da er noch nicht wußte*
gridare come un ossesso *wie ein Berserker toben*
incendio *m Brand*

uscita *f* principale *Hauptausgang*

farsi pietoso *kläglich werden*
non gli era mai capitata una cosa sìmile *so etwas war ihm nie geschehen*
tra capo e collo *wie ein Blitz aus heiterem Himmel*

Le principesse di Acapulco

di G. Scerbanenco

Pìccola guida per scoprire l'assassino

La situazione, fin dal primo capìtolo è la seguente:

nel giardino di una grande villa ad Acapulco, vi sono ùndici persone. Una viene uccisa e le altre dieci dichiàrano che si è trattato di un incidente. La persona uccisa è:

la principessa Alessandra Rudescenko.

Le altre dieci persone che èrano vicino a lei al momento della sua morte nel giardino della villa sono:

la principessa Nicoletta Rudescenko, madre dell'uccisa;

la principessa Sofia Nicolaievna Rudescenko, nonna dell'uccisa;

l'avvocato Vladimiro Costantinovic Oblòmovic; legale delle principesse Rudescenko;

Domingo Urrales, marito della madre dell'uccisa;

Heinrich Bergen, marito dell'uccisa;

Virginia Meredith, gióvane védova inglese, innamorata del marito dell'uccisa;

Cruz Martinez, direttore di un Grande Hotel;

i gemelli Charles e Antoine Dupont, famosi ballerini;

e Rudy Fuchs, pilota dell'elicòttero personale delle principesse Rudescenko.

La principessa Nicoletta Rudescenko dichiara che nel tentativo di strappare

guida *f Führer, Leitfaden*
assassino *m Mörder*
seguente *folgend*
venire ucciso *ermordet werden*

dichiarare *erklären, behaupten*
trattarsi di *sich handeln um*
incidente *m Unfall*

vicino a lei *in ihrer Nähe, nahe bei ihr*

l'uccisa *f die Ermordete*

legale *m Rechtsberater*

védova *f Witwe*
innamorato di *verliebt in*

gemelli *m/pl. Zwillinge*
famoso ballerino *m berühmter Tänzer*
elicòttero *m Hubschrauber*

tentativo *m Versuch*
strappare dalle mani *aus den Händen reißen, entreißen*

una rivoltella dalle mani di sua figlia che voleva giocare con la pericolosa arma, ha lasciato partire due colpi involontariamente e questi due colpi hanno ucciso sua figlia.

pericoloso *gefährlich*

lasciar partire un colpo *einen Schuß abgeben*

Le altre dieci persone dichiàrano che è esattamente così, come la principessa Nicoletta afferma, cioè che si tratta di un incidente, ma, sin dal principio, è detto che non si tratta di un incidente, ma di un delitto. Cioè, la principessa Alessandra è stata *volontariamente* uccisa e non vìttima di un incidente. Quindi si tratta di un *delitto*, non di una disgrazia.

affermare *behaupten*

sin dal principio *von Anfang an*

è detto *es wird gesagt*

vìttima *f Opfer*

disgrazia *f Unglück*

Stabilito questo il lettore-investigatore può facilmente dedurre che:

stabilire *festsetzen*
investigatore *m Detektiv*
dedurre *folgern*

1) la principessa Nicoletta non dice la verità;

2) che tutti gli altri, per qualche misteriosa ragione, affèrmano il falso come lei, e cioè che si tratta di una disgrazia e non di un delitto.

per qualche misteriosa ragione *aus irgendeinem geheimnisvollen Grund*

Allora il lettore-investigatore deve domandarsi: qual'è la verità? Chi ha sparato veramente e volontariamente alla principessa Alessandra?

deve (*v.* dovere) domandarsi (*er*) *muß sich fragen*

sparare *schießen*

Vi sono già gli elementi per formulare varie ipòtesi:

formulare varie ipòtesi *verschiedene Vermutungen aufstellen*

1) può aver sparato volontariamente la stessa Nicoletta, gelosa che il marito fosse innamorato della principessa Alessandra;

geloso *eifersüchtig*

2) il colpévole può èssere Heinrich Bergen, il marito, che è innamorato di Virginia Meredith;

il colpévole *der Schuldige*

3) può èssere stata la stessa Virginia Meredith per rimanere sola con Heinrich, di cui è innamorata;

di cui è innamorata *in den sie verliebt ist*

4) può e *deve* èssere stato uno dei dieci presenti al fatto, ma chiunque sia stato vi deve èssere una ragione per cui poi tutti gli altri testimònino che si tratta di un incidente e non di un delitto. *Questa è la molla segreta* di tutta la vicenda e alla perspicacia induttiva del lettore-investigatore è affidato il còmpito di scoprirla.

i presenti al fatto *die bei der Tat anwesend waren*
chiunque *wer auch immer*
testimoniare *bezeugen*

molla *f Triebfeder*
vicenda *f Angelegenheit*
perspicacia *f Scharfblick*
affidare il còmpito *den Auftrag erteilen*

*

I pugni èrano stati dati con perizia tècnica, da pùgile esperto, in modo da provocare il màssimo dolore, senza stordire del tutto: «Oh, no, no...,» gemette Heinrich Bergen; pur essendo robusto, dall'aria molto maschia e figlio di un feroce sterminatore di ebrei, Heinrich Bergen non doveva aver conservato molto di quella ferocia paterna, e invece di reagire con la violenza e con la rabbia che il suo fìsico gli permettévano, si limitò a tentare di ripararsi il viso e si abbandonò senza orgoglio a gèmere.

«Vieni qui.» Lo colpì con un altro pugno per stordirlo ancora di più, ma sempre senza fargli pèrdere conoscenza e lo trascinò fuori dello stradone, nella fitta vegetazione tropicale, lo buttò su quella vegetazione, un po' mòrbida e marcescente come il muschio, un po' secca e tagliente, e gli si inginocchiò sopra, un ginocchio sulla bocca dello stòmaco.

«Oh, no, no,» rantolò con una specie di conato di vòmito il gióvane Bergen con quell'ariete sulla bocca dello stòmaco.

pugno *m Faustschlag*
perizia *f Erfahrung*
pùgile *m Boxer*
in modo da *so daß*
provocare *verursachen*
stordire *betäuben*
gèmere *stöhnen*
pur essendo *obwohl er ... war*
dall'aria molto maschia *von sehr kräftigem Aussehen*
sterminatore *m Vernichter*
ferocia *f Grausamkeit*

fìsico *m Körperbau*
limitarsi a tentare *sich auf den Versuch beschränken*
ripararsi *sich schützen*
abbandonarsi a *sich hingeben, sich überlassen*
orgoglio *m Stolz*
colpire *schlagen*
far pèrdere conoscenza *in Ohnmacht fallen lassen*
trascinare fuori di *von ... wegschleppen*
stradone *m Landstraße*
fitto *dicht*
buttare *werfen*
marcescente *faulig*
inginocchiarsi *niederknien*
bocca *f* dello stòmaco *Magenmund*
rantolare *röcheln*
conato *m* di vòmito *Brechreiz*
ariete *m Widder*

«Sta' zitto e cerca di ascoltare e capire,» disse Ariberto Sartoris. «Sono uno che cerca di sapere chi ha ucciso la principessa Alessandra, cioè tua moglie. E tu me la devi dire, perché la conosci, questa verità, e perché è l'ùnica speranza che hai di sopravvìvere. O tu parli, e sùbito, o io ti ammazzo a pugni: penseranno che sei andato con la faccia contro un treno in corsa, te lo giuro.»

Faceva caldo, lì sotto, in mezzo a tutto quel fogliame, a quelle erbe, un po' secche, un po' odorose di humus e mollicce. Sudàvano tutti e due, in quella specie di verde bagno di vapore, e il biondo Bergen oltre ai rivoletti di sudore sul viso, aveva anche righe di sangue che gli uscìvano dal naso. Sartoris era pronto ad uccìderlo a pugni come lo aveva minacciato. Perché fosse così pronto ad uccìderlo, non lo sapeva. Come non sapeva perché gliene importasse tanto della verità sulla morte della principessa Alessandra. Che cos'era per lui la principessa Alessandra Rudescenko? Che gliene importava di come fosse morta e di chi l'avesse uccisa? Ma non si sa mai veramente perché si fanno le cose. Perché uno fa il corridore d'auto, pur avendo i mezzi per vìvere di rèndita, e finisce per spiaccicarsi una volta o l'altra contro un bel plàtano centenario?

«Intanto devi cominciare a dirmi come mai c'è un morto nel giardino delle ville Rudescenko. Tu lo sai, e devi dìrmelo,» e Sartoris alzò il pugno pronto a colpire ancora.

«Lei è pazzo,» ansò Heinrich Bergen.

sta' (*v.* stare) zitto *sei still*
cercare di *sich bemühen zu; danach trachten, zu*
sapere *erfahren*
sopravvìvere *überleben*
ammazzare *totschlagen*
penseranno *man wird vermuten*
in corsa *in voller Fahrt*
fogliame *m Laubwerk*
molliccio *feucht*
sudare *schwitzen*
tutti e due *beide*
in quella specie di bagno di vapore *in dieser Art Dampfbad*
rivoletto *m kleiner Bach*
avere rivoletti di sudore sul viso *im Gesicht von Schweiß triefen*
pronto *entschlossen*
minacciare qu. *j-n bedrohen*
gliene importasse di ... *ihm war viel an ... gelegen*
che cos'era per lui ...? *was bedeutete ihm ...?*
di come fosse morta *auf welche Art sie gestorben war*
perché si fanno le cose *warum man so handelt*
corridore *m* d'auto *Rennfahrer*
pur avendo i mezzi *obwohl er die Mittel besitzt*
spiaccicarsi *zerquetscht werden*
una volta o l'altra *früher oder später*
cominciare a dire *zuerst sagen*
come mai *wieso*
ansare *keuchen*

«Sì, certamente,» disse Sartoris, «e appunto per questo ti conviene parlare sùbito. I pazzi non hanno pazienza.» Aveva riflettuto a lungo in quei giorni, da quando era arrivato ad Acapulco: coi mezzi legali, nessuno avrebbe mai scoperto la verità sull'assassinio della principessa Rudescenko. I miliardi sono più forti della legge. Per vìncere i miliardi occorre la forza bruta.

«Mi tolga almeno il ginocchio dallo stòmaco,» disse Heinrich Bergen, con voce compita, da signorino bene educato qual era.

Ariberto Sartoris spinse con ancora più violenza il ginocchio nello stòmaco del gióvane Heinrich. «Prima devi dirmi il nome di chi ha ucciso la principessa Alessandra, di chi ha ucciso tua moglie», e nello stesso tempo sferrò un altro pugno, lontano dalle mascelle per impedire che il biondo svenisse, ma vicino alle tempie, in modo che ne sentisse tutta la virulenza.

Heinrich Bergen chiuse gli occhi sotto il colpo, rabbrividì per la nàusea e per i lancinanti crampi allo stòmaco, ma trovò la forza anche di parlare. «Sì, sì» e disse il nome dell'assassino.

*

La lunga, còmoda Ambassador dalla carrozzerìa in legno si fermò davanti alla Centrale di Polizìa di Acapulco. Ariberto Sartoris che era al volante, scese a terra, girò intorno al lungo còfano, andò ad aprire l'altro sportello

e appunto per questo *eben deshalb*
ti conviene *es ist für dich vorteilhafter*
riflèttere a lungo *lange überlegen*
mezzi *m/pl.* legali *Rechtsmittel*
scoprire la verità su ... *die Wahrheit über ... herausfinden*
assassinio *m Mord*
più forte di *stärker als*
forza *f* bruta *rohe Gewalt*
tògliere *wegnehmen*
con voce compita *in höflichem Ton*
bene educato *wohlerzogen*
spìngere *drücken*
con ancora più violenza *mit noch mehr Gewalt*
il nome di chi ha ucciso *der Name des Mörders*
nello stesso tempo *gleichzeitig*
sferrare *versetzen*
impedire *verhindern*
per impedire che *damit nicht*
svenire *in Ohnmacht fallen*
tempia *f Schläfe*
virulenza *f Giftigkeit; hier: Bösartigkeit*
rabbrividire *schaudern*
lancinante *stechend, reißend*
crampo *m* allo stòmaco *Magenkrampf*
Centrale *f* di Polizìa *Polizeipräsidium*
volante *m Steuer*
còfano *m (Motor-)Haube*
andare ad aprire *öffnen*
sportello *m Wagentür*

e tirò fuori, aiutò a venir fuori Heinrich Bergen, o quello che fino ad un'ora prima era stato il baldo Heinrich Bergen, biondo prìncipe consorte di una Rudescenko e che adesso era un uomo piegato in due, afflitto da gravi disturbi di stòmaco, un fazzoletto rosso di sangue premuto contro il viso.

«Il capitano Mastroni,» disse Sartoris al poliziotto di guardia sorreggendo il gióvane Bergen.

«È lì,» disse il poliziotto, lùcido in viso di sudore.

Infatti il capitano era lì, in fondo al fresco, semibuio maleolente corridoio e veniva avanti verso di loro.

«Cosa è successo?» domandò a Sartoris, ma sembrava dallo sguardo che avesse già capito.

«Il signor Bergen desìdera farLe delle dichiarazioni a propòsito dell'assassinio di sua moglie,» disse Ariberto Sartoris. «Le ha fatte poco fa a me e adesso desìdera ripèterle a Lei.»

Allora il capitano Mastroni fu sicuro di aver capito, ma disse: «Avete avuto un incidente d'auto?» Guardava il viso ormai irriconoscìbile, tutto bluastro e chiazzato di sangue del gióvane Bergen.

A voce bassìssima ma quasi ringhiosa, sempre sorreggendo il biondo tedesco piegato in due e pronto a cadere se non fosse stato sostenuto, Sartoris disse: «No, l'ho picchiato io per farlo parlare e Lei può arrestarmi quando vuole, per lesioni e percosse volontarie e premeditate.»

Il capitano Mastroni, come uomo di legge, disse: «Lei non doveva farlo.»

tirar fuori *herausziehen*
fino ad un'ora prima *bis vor kurzem* (*wörtlich: vor einer Stunde*)
baldo *kühn*
consorte *m Gatte*
afflitto *gequält*
disturbi *m/pl.* di stòmaco *Magenbeschwerden*
prèmere contro il viso *gegen das Gesicht drücken*
di guardia *wachhabend*
sorrèggere *stützen*
in fondo a *am Ende von, hinten in*
semibuio *halbdunkel*
maleolente *stinkend*
sembrare dallo sguardo *nach seinem Blick* (= *Augenausdruck*) *den Anschein haben*
fare delle dichiarazioni *Erklärungen abgeben, Aussagen machen*
a propòsito di *bezüglich, über*
poco fa *vor kurzem*
incidente *m* d'auto *Autounfall*
irriconoscìbile *unkenntlich*
bluastro *bläulich*
chiazzato di sangue *blutbefleckt*
ringhioso *knurrig*
piegato in due *ganz erschöpft*
sostenere *stützen*
picchiare *schlagen, prügeln*
arrestare *verhaften*
lesione *f Verletzung*
percossa *f Schlag*
premeditato *vorsätzlich*

«Ormai l'ho fatto,» disse Sartoris.

Due ore dopo Heinrich Bergen firmava una lunga deposizione scritta faticosamente a màcchina da un grosso poliziotto che batteva con due dita e per di più con l'ìndice della sinistra perché era mancino, in cui raccontava quella verità che Sartoris aveva ricercato così inflessibilmente sulla morte della principessa Alessandra. Solo allora il capitano Mastroni lo mandò in infermerìa dove gli fécero un'iniezione di morfina e un poliziotto restò a fargli la guardia mentre lui si addormentava, sfinito.

«Devo méttere in càrcere anche Lei, in stato di fermo» disse il capitano Mastroni a Sartoris. «Lei ha molto abbreviato le indàgini usando i suoi sistemi, ma questo è un paese civile dove la legge punisce chi usa violenza ad altre persone.»

ormai l'ho fatto *ich habe es nun getan*

deposizione *f Aussage*

faticosamente *mit großer Mühe*

bàttere *anschlagen*

e per di più *und noch dazu*
ìndice *m Zeigefinger*
mancino *linkshändig*
in cui *worin*

inflessibilmente *unerschütterlich*
mandare in infermerìa *in den Krankensaal schicken*
fare un'iniezione a qu. *j-m eine Spritze geben*
fare la guardia a qu. *j-n bewachen*

sfinito *erschöpft*

méttere in càrcere *ins Gefängnis stecken*
stato *m* di fermo *Sistierung*

indàgini *f/pl. Ermittlungen*
punire *bestrafen*

usare violenza *Gewalt anwenden*

Tempo di massacro

di F. Enna

Lo interruppi: – A propòsito, che cosa sapete in mèrito alla presunta attività criminale di Emilio Ferretti?

Zollati allargò le braccia in un gesto di sconforto.

– Ben poco – rispose. – E non ci sono prove.

– Quali sono i fatti?

– Tempo fa uno dei produttori associati alla *Pax Film* fu trovato assassinato nel proprio appartamento.

– A Roma?

– Sì. La polizìa accertò che mancava una forte somma, la stessa che la *Pax Film* aveva versato in contanti a tìtolo di dividendo per una operazione fortunata (una delle poche). Il denaro era stato consegnato al produttore dallo stesso Ferretti, a tarda ora. Il delitto ebbe luogo nella nottata, prima che la vìttima avesse il tempo di depositare la somma in banca.

– Capisco.

– Naturalmente ci insospettimmo e mettemmo Ferretti un po' alle strette. Niente da fare; era in possesso di un àlibi inattaccàbile. A ogni modo lo facemmo pedinare. Scoprimmo così che era in contatto col pregiudicato che avete fatto fuori voi.

– Salvatorelli?

– Precisamente. Le indàgini proseguìrono con molta discrezione ma non approdàrono a nulla.

interrómpere *unterbrechen*
in mèrito a *in bezug auf, über*
presunto *mutmaßlich*
allargare le braccia *die Arme ausbreiten*
gesto *m* di sconforto *betrübte Geste*
ben poco *sehr wenig*
fatto *m Tatsache*
tempo fa *vor einiger Zeit*
trovato *aufgefunden*
assassinare *ermorden*
accertare *feststellen*
mancare *fehlen*
versare in contanti *bar einzahlen*
a tìtolo di *als*
fortunato *gelungen*
consegnare *einhändigen*
a tarda ora *spät am Abend*
avere luogo *hier: begangen werden* (*Verbrechen*)
prima che *bevor*
depositare in banca *bei der Bank einzahlen*
insospettirsi *Verdacht schöpfen*
méttere alle strette *in die Enge treiben*
inattaccàbile *unangreifbar*
a ogni modo *auf jeden Fall*
far pedinare *hier: beobachten lassen*
èssere in contatto con qu. *mit j-m in Verbindung stehen*
pregiudicato *m Vorbestrafte*(*r*)
far fuori *abmurksen*
indàgini *f/pl. Ermittlungen*
proseguire *fortgesetzt werden*
con molta discrezione *in strengster Verschwiegenheit*
approdare a nulla *zu nichts führen*

– Interessante – osservai – molto interessante!... Poco fa, stavo dicendo al commissario Giunta che non mi meraviglierei, stando così le cose, se Ferretti fosse stato preso in tràppola dai suoi stessi còmplici.

– È un'ipòtesi che stavamo esaminando.

– A quanto mi è dato di capire, allora, la situazione della vìttima non era così ròsea come sembrava.

– Infatti. Personalmente, sono convinto che Ferretti fosse a capo della banda di cui faceva parte Salvatorelli.

– Gli affari della *Pax Film* andàvano bene? – Domandai seguendo un pensiero.

– Non molto – rispose Zollati. – Almeno, così mi è stato detto.

– Bene – decisi – vi lasciamo alle vostre gatte da pelare, dottor Zollati. Grazie della cortesìa. Se vi accadesse di inciampare in un delitto negli Stati Uniti, ricordàtevi di me.

Uscimmo dallo stabilimento cinematogràfico a tutto acceleratore. Mi parve un'ironìa l'insegna che sormontava l'arcata del cancello di ingresso: Pax Film.

– Dove andiamo? – mi chiese Silvio.

– Nell'appartamento della vìttima.

– Accidenti, ho dimenticato di farmi dare le chiavi!

Tornammo indietro. Zollati ci diede il mazzetto di chiavi trovato addosso al cadàvere e ci lasciò con un sorrisetto irònico sotto i baffi.

Il portiere del palazzo, appena ci vide, prima ancora che lo interpellàssimo, ci avvertì che il dottor Fer-

osservare *bemerken*
poco fa *vor kurzer Zeit*
stavo (*v.* stare) dicendo *ich habe gesagt*
meravigliarsi *sich wundern*
stando così le cose *wie die Dinge nun einmal liegen*
èssere preso in tràppola *in die Falle geraten*
ipòtesi *f Vermutung*
a quanto mi è dato di capire *soviel ich begreifen kann*
ròseo *rosig*
sembrare *scheinen, den Anschein haben*
èssere convinto *überzeugt sein*
èssere a capo *an der Spitze stehen*
far parte di *gehören zu*
seguire un pensiero *einem Gedanken nachgehen*
mi è stato detto *man hat mir gesagt*
vi lasciamo alle vostre gatte da pelare *wir überlassen Ihnen diese schöne Arbeit*
accadere *zustoßen*
inciampare in un delitto *in ein Verbrechen verwickelt werden*
uscire da *verlassen*
a tutto acceleratore *mit größter Geschwindigkeit*
mi parve (*v.* parere) (*es*) *kam mir wie ... vor*
ironìa *f Ironie*
insegna *f Schild*
sormontare *übersteigen*
che sormontava *hier: über*
accidenti! *verdammt!*
tornare indietro *zurückfahren*
mazzetto *m* di chiavi *Schlüsselbund*
trovare addosso a qu. *bei j-m finden*
lasciare *sich verabschieden von*
sorrisetto *m* sotto i baffi *hier: verstohlenes Lächeln*
palazzo *m Haus, Gebäude*
appena *sobald*
interpellare *befragen*
avvertire *mitteilen*

retti non era tornato. Aveva buona memoria.

Silvio gli disse che eravamo della polizìa e che il dottor Ferretti era morto. La notizia scombussolò alquanto l'impeccàbile cèrbero che tessè l'elogio fùnebre del disgraziato dicendo: – Porca miseria, un così bravo ragazzo!

– I cimiteri sono pieni di bravi ragazzi, purtroppo — sentenziò Silvio mentre salivamo verso il primo piano. – Si vede che Ferretti era generoso.

– Perché? – domandai.

– A Roma, per i portieri, i bravi ragazzi che àbitano nel casamento sono quelli che dànno le mance più cospìcue.

L'appartamento, com'era possìbile immaginare giudicando dalla facciata del palazzo, era molto elegante. Si componeva di cinque càmere lussuosamente arredate dove si respirava un'atmosfera di confortante benèssere.

– Che ne dici, Leslie? – mi chiese Silvio in tono significativo.

– Bella casa davvero! – riconobbi.

– Darei cinque anni della mia vita per avere un appartamento così, crédimi, con una mogliettina che mi amasse...

– L'hai detta giusta l'altra volta, esclamando: «Questi siciliani!» Dev'èssere un male della nostra terra quello della casa.

– E c'è da vergognàrsene?

– Tutt'altro.

– Guarda qui. Tappeti persiani. Questo vaso dev'èssere cinese... Maledetto il denaro e chi lo ha inventato!

Il lusso era diluito con discernimento e buon gusto. Mentre Silvio dava

memoria *f Gedächtnis*
èssere di *gehören zu*
scombussolare alquanto *ziemlich verwirren*
impeccàbile *tadellos*
tèssere l'elogio fùnebre *die Trauerrede halten*
porca miseria, un così bravo ragazzo! *Donnerwetter, ein so netter Kerl!*
cimitero *m Friedhof*
purtroppo *leider*
sentenziare *urteilen*
generoso *großzügig*
casamento *m Wohnhaus*
mancia *f Trinkgeld*
cospìcuo *beträchtlich*
com'era possìbile immaginare *wie man sich denken konnte*
giudicando da *von ... ausgehend*
comporsi di *bestehen aus*
arredato *eingerichtet*
benèssere *m Wohlstand*
ne *dazu*
significativo *bedeutungsvoll*
riconóscere *zugeben*
l'altra volta *das letzte Mal*
male *m Krankheit*
vergognarsi *sich schämen*
tutt'altro *im Gegenteil*
tappeto *m* persiano *Perserteppich*
maledetto *verflucht*
inventare *erfinden*
diluire *auflösen, verdünnen; hier: verteilen*
discernimento *m Verständnis, Einsicht*

un'occhiata al salotto, io dedicavo la mia attenzione al monumentale studio dai mòbili antichi e severi e dagli alti scaffali pieni di libri rilegati.

La scrivanìa, alla quale mi rivolsi per prima, conteneva lèttere di affari, carta intestata, libri contàbili. Il cassetto centrale era chiuso a chiave: nel mazzo che ci aveva dato il commissario Zollati c'era quella che lo apriva.

Nessuna lèttera di Dwight a Livia. In verità, non ci speravo. Trovai invece un contratto di affitto intestato a Guido Salvatorelli. Il dottor Ferretti cedeva al signor Salvatorelli per la durata di mesi sei – dal giugno al novembre – la casa di campagna situata in contrada Sampietro, al dodicèsimo chilòmetro da Roma, in affitto per una somma complessiva di Lire sessantaseimila. Il documento provava che l'ipòtesi di Silvio, secondo cui Emilio Ferretti poteva èssere il proprietario della casetta gialla, era esatta.

Mi capitò per le mani un secondo contratto d'affitto. Una società immobiliare affittava al dottor Ferretti, per la durata di tre anni, l'appartamento in cui in quel momento mi trovavo io, arredato di tutto punto, per cinquantacinquemila Lire mensili.

Mostrai i due contratti a Silvio che stava rientrando.

– Be', nemmeno lui possedeva un appartamento! – osservò dopo aver letto il secondo contratto. – Molte volte le apparenze ingànnano...

Lo guardai fisso seguendo un pensiero.

dare un'occhiata a qc. *einen Blick auf et. werfen*
dedicare l'attenzione *die Aufmerksamkeit lenken*
monumentale *riesig*
studio *m Arbeitszimmer*
scaffale *m Regal*
rilegato *gebunden*
rivòlgersi per prima *sich zuerst wenden*
contenere *enthalten*
lèttere *f/pl.* di affari *Geschäftsbriefe*
carta *f* intestata *vorgedrucktes Briefpapier*
libri *m/pl.* contàbili *Geschäftsbücher*
cassetto *m Schublade*
chiùdere a chiave *verschließen*
contratto *m* di affitto *Mietvertrag*
intestato a qu. *auf j-s Namen eingetragen*
cèdere in affitto *vermieten*
situato in contrada ... *in der Gegend von ... gelegen*
provare *beweisen*
secondo *nach, gemäß*
proprietario *m Besitzer*
capitare per le mani *in die Hände geraten*
durata *f Dauer*
arredato di tutto punto *vollständig eingerichtet*
stare rientrando *eben zurückkommen*
nemmeno lui *nicht einmal er*
dopo aver letto ... *nachdem er ... gelesen hatte*
le apparenze ingànnano *der Schein trügt*
guardare fisso *anstarren*

– Hai trovato qualcosa? – domandai.

– Niente. Sembra incredìbile come possa sparire un uomo di punto in bianco. Dove diàvolo si sarà cacciato quel Dempsey?

Meccanicamente aprii un portasigarette da tàvolo d'argento. Era pieno di sigarette inglesi. Silvio ne prese una e la accese. Io lo imitai.

– Che pensi? – mi chiese dopo un po', vedendo che non parlavo.

– Non lo so nemmeno io – risposi stirando le gambe. – Ho le idee confuse. Forse sono stanco.

– Fisicamente?

– Mah! ... Sento che c'è qualche cosa, in tutta questa faccenda, che non mi convince, e non so cos'è.

Con i piedi urtai il cestino della carta straccia. Lo trassi vicino con una gamba. Conteneva poco. Quello che colpì il mio subcosciente fu un foglio di carta da pacchi appallottolato. Non proprio il foglio in sé, ma un marchio rosso con una pipetta nel mezzo. Raccolsi la palla e la disfeci. Si trattava di un pìccolo foglio d'imballaggio di un negozio per fumatori.

Il mio sguardo scese un'altra volta nel cestino. Raccolsi una scatoletta rettangolare sul cui coperchio era impresso lo stesso marchio rosso notato sulla carta.

– Qui dentro c'è stata una pipa – dissi come a me stesso.

– Senza dubbio – riconobbe Silvio.

– Conosco quel negozio.

Guardai la sigaretta che tenevo tra le dita, poi dissi bruscamente al mio

sembra incredìbile *es ist unglaublich*
di punto in bianco *unversehens*
dove diàvolo si sarà cacciato ...? *wo, zum Donnerwetter, wird sich ... versteckt haben?*
portasigarette *m Zigarettenetui*
ne *davon*
accèndere *anzünden*
imitare qu. *j-m et. nachmachen*
che pensi? *woran denkst du?*
dopo un po' *nach einer kurzen Weile*
vedendo che non parlavo *da ich nichts sagte*
non lo so nemmeno io *ich weiß es selber nicht*
stirare le gambe *die Beine ausstrecken*
faccenda *f Affäre*
convìncere *überzeugen*
urtare qc. *gegen et. stoßen*
cestino *m* della carta straccia *Papierkorb*
trarre vicino *nahe heranziehen*
subcosciente *m Unterbewußtsein*
foglio *m Blatt*
appallottolato *zusammengeknüllt*
non proprio il foglio in sé *eigentlich nicht das Blatt selbst*
marchio *m Warenzeichen*
pipetta *f Pfeifchen*
raccògliere *aufnehmen*
disfare *aufmachen*
foglio *m* d'imballaggio *Bogen Einwickelpapier*
il mio sguardo scese *ich blickte herunter*
scatoletta *f* rettangolare *viereckige (eigentlich: rechtwinklige) Schachtel*
coperchio *m Deckel*
èssere impresso *gedruckt sein*

amico di far venire su il portiere pietoso.

– Che vuoi farne?

– Ti prego, non farmi pèrdere tempo – scattai bruscamente.

Silvio, da quel bravo ragazzo che era, uscì in fretta. Lo aspettai passeggiando da una parete all'altra. Mi sentivo la febbre addosso. Mi misi in cerca di una bottiglia. Ne trovai una di gin nel pìccolo bar e mi ci attaccai. Poi feci ritorno nello studio in sua compagnìa.

Silvio riapparve seguito dall'impeccàbile cèrbero.

– Conoscevate bene il dottor Ferretti? – gli chiesi.

– Certo, sì. Abitava qui da cinque anni, ed era un inquilino modello.

– Voi, da quanti anni prestate servizio in questo palazzo?

– Quasi da ùndici.

– Sapete dirmi, allora, se il dottor Ferretti fumava?

– Eccome! Più di un pacchetto di sigarette al giorno. Come un turco. Spessìssimo ero io che gliele compravo alla borsa nera. Al dottore piacévano le inglesi originali... Ecco, come quella che state fumando voi.

– Lo avete mai visto fumare la pipa?

Il portiere scosse il capo e allungò il labbro inferiore.

– Mai.

– Ne siete sicuro?

– Sicurìssimo. Spesso aiutavo mia moglie a far le pulizìe nell'appartamento (il dottore aveva dato quest'incàrico ad Amalia per farci guadagnare

far venire su *heraufkommen lassen*
pietoso *mitleidig*
farne *hier: mit ihm machen*
scattare *auffahren*
in fretta *eilig*
passeggiare da una parete all'altra *im Zimmer auf und ab gehen*
mi sentivo la febbre addosso *ich glaubte, fieberkrank zu sein*
méttersi in cerca di qc. *auf die Suche nach et. gehen*
attaccarsi *sich anklammern*
mi ci attaccai *hier: ich machte mich darüber her*
riapparire seguito da ... *mit* (*wörtich: gefolgt von*) ... *zurückkommen*
inquilino *m* modello *musterhafter Hausbewohner*
prestare servizio *Dienst leisten, arbeiten*
sapete dirmi ...? *können Sie mir sagen ...?*
eccome! *und ob!*
turco *m Türke*
fumare come un turco *wie ein Schlot rauchen*
borsa *f* nera *schwarzer Markt*
piacere *schmecken*
stare fumando *gerade rauchen*
mai *jemals; nie*(*mals*)
scuòtere il capo *den Kopf schütteln*
allungare il labbro inferiore *die Unterlippe vorschieben*
aiutare qu. *j-m helfen*
far le pulizie *saubermachen*
dare un incàrico *einen Auftrag geben*
per farci guadagnare qualche cosa *um uns etwas verdienen zu lassen*

qualche cosa, poveretto!) e non ho mai visto una pipa in giro.

– Grazie, potete andare.

Quando il portiere fu uscito, Silvio mi affrontò dicendo: – Ma che diàvolo ti salta in mente, Leslie?

Scrollai il capo in un cenno di sconforto.

– Napoleone aveva ragione – risposi lentamente.

– Accidenti a me che ti ho detto quella frase! Me ne stai facendo fare una indigestione...

Mio malgrado sorrisi. Ero però tetro quando dissi: – Silvio, Dwight se n'è andato.

– Cosa?

– È morto. Ucciso. Barbaramente ucciso.

Silvio schiacciò il resto della sigaretta nel grande portacénere che si trovava sulla scrivanìa e si lasciò cadere sopra una poltrona di cuoio.

– Leslie, ti vuoi spiegare, per l'amor di Dio? – proruppe infine.

– Nell'ufficio dell'amministratore delegato della *Pax Film*, sulla scrivanìa, avevo notato un pacchetto di sigarette inglesi – dissi gravemente – ma non ci avevo fatto caso, naturalmente. Per fortuna la nostra memoria registra le cose a nostra insaputa e poi ce le spiattella al momento opportuno.

– Ebbene?

– Quella scatoletta vuota mi ha richiamato alla mente il pacchetto di sigarette inglesi notato laggiù. Le sigarette trovate qui, insieme con la scatoletta, hanno cristallizzato in me un pensiero molto vago, nebuloso. Poi

in giro *hier: im Hause*

affrontare qu. *j-m entgegentreten; zu j-m treten*

che diàvolo ti salta in mente? *zum Donnerwetter, was fällt dir ein?*

scrollare il capo *den Kopf schütteln*

frase *f Satz*

fare una indigestione di qc. *sich an et. den Magen verderben*

mio malgrado *gegen meinen Willen*

tetro *trübsinnig*

se n'è andato (*er*) *ist tot* (*ermordet worden*)

schiacciare *zerdrücken*

scrivanìa *f Schreibtisch*

cuoio *m Leder*

ti vuoi (*v.* volere) spiegare? *willst du dich* (*besser*) *ausdrücken?*

prorómpere *ausbrechen* (*in Worte*)

non ci avevo fatto caso *ich hatte nicht darauf geachtet*

per fortuna *zum Glück*

a nostra insaputa *ohne unser Wissen*

spiattellare *frei heraussagen, wiedererzählen*

al momento opportuno *im richtigen Augenblick*

scatoletta *f Schächtelchen*

richiamare alla mente *ins Gedächtnis zurückrufen*

notato laggiù (*das ich*) *da unten bemerkt* (*hatte*)

nebuloso *nebelhaft*

ho ricordato un particolare, cioè che Dwight fumava la pipa. Il portiere ha dichiarato un minuto fa che Ferretti non ha mai fumato la pipa. Ferretti è il fratello di Livia...

– Madonna santìssima! – esclamò Silvio portàndosi la destra alla fronte. Quel gesto e quella esclamazione lo denunciàvano inesorabilmente per quel siciliano che era. Si alzò come un selvaggio levando i pugni in aria come per afferrare un nemico invisìbile intanto che urlava: – Imbecille, idiota! ... Come non averlo capito prima?... Ma che razza di poliziotto sono?... No no, Leslie, non prèndermi con te, se vuoi che gli affari ti vàdano bene...

Scossi il capo.

– Mi divertiresti davvero, Silvio, se non ci fosse di mezzo Dwight – dissi. – Pòvero ragazzo!

– Ma già! Ferretti è biondo. Anche Dwight lo è. Ferretti ha gli occhi azzurri, Dwight ha gli occhi celesti. Più o meno, avranno avuto la stessa età... Gesù, Gesù, Gesù! Ma certo che la cosa fila! Fila come un diretto... Lui ha in mente di fare il colpo ai danni della società che amministrava e vuol méttersi al sicuro, logicamente, per godersi in pace la bazzècola di trecento milioni...

– Avanti – lo incoraggiai intanto che accendevo un'altra sigaretta.

– Che succede, allora? Gli càpitano sottomano le lèttere che Dwight aveva scritto alla sorella, e allora ricorda che Dwight è americano, che è biondo, che ha gli occhi azzurri e che, cosa

particolare *m Einzelheit*

esclamare *ausrufen*

portarsi alla fronte *sich vor die Stirn schlagen*

denunciare qu. per ... *j-n als ... ausweisen (od. zeigen)*

inesorabilmente *hier: sehr deutlich*

selvaggio *m Wilde(r)*

levare *emporheben*

come per afferrare *als ob er ... packen wollte*

urlare *schreien*

come non averlo capito prima? *wieso hatte ich es vorher nicht verstanden?*

che razza di *was für ein*

èsserci di mezzo *mit im Spiel sein*

avere la stessa età *gleichaltrig sein*

filare *spinnen*

ma certo che la cosa fila! *es ist doch so klar, wie die Sache läuft!*

diretto *m D-Zug*

avere in mente *beabsichtigen*

fare il colpo *einen schönen Wurf machen*

ai danni di *auf Kosten von*

amministrare *verwalten*

méttersi al sicuro *sich in Sicherheit bringen*

bazzècola *f Kleinigkeit*

incoraggiare qu. *j-n ermutigen*

intanto che *während*

importantìssima, ha quasi la sua stessa età. Quale meravigliosa occasione per inscenare una rapina clamorosa in séguito alla quale lui troverà eròica morte. Il mondo se lo segnerà a dito come esempio di virtù civili e di abnegazione. Il mondo, però, non saprà mai che il cadàvere sfregiato non è quello del dottor Emilio Ferretti bensì quello di un tìmido, romàntico professore americano, vìttima della propria ingenuità. Ma il caso vuole che il romàntico professore, durante il viaggio in Italia, faccia conoscenza con un certo Leslie Colina, giovanotto quanto mai simpàtico che ispira fiducia a prima vista, al quale confida i motivi e gli scopi di quel suo ritorno in Europa. Due malcapitate ragazze norvegesi simpatìzzano anch'esse con Dwight Dempsey, che inconsapevolmente si è mutato in un ordigno esplosivo, in un portatore di morte. Nessuno di coloro che hanno conosciuto Dwight durante la traversata deve sopravvìvere. Una complicazione che fa pèrder tempo all'assassino, ma che non ne arresta la marcia. Salvatorelli e compagni sono gli esecutori materiali dei delitti...

– Di alcuni delitti – precisai.

– Non dimenticare che è stato Ferretti a uccìdere Mario Galante. Il cloroformio lo prova.

– Già, di alcuni delitti, e non sanno, pòveri ingènui, di èssere le pedine di un grosso gioco dalla posta ingente: trecento milioni, più di quattrocentomila dòllari. Di che vìvere il resto degli anni come un pascià. Vìvere dove?

rapina *f Raubüberfall*
clamoroso *aufsehenerregend*
in séguito a *infolge*
segnare a dito qu. come *j-n zeigen* (*od. hinstellen*) *als*
abnegazione *f Opferbereitschaft*
sapere *erfahren*
sfregiato *verunstaltet*
bensì *sondern*
tìmido *schüchtern*
ingenuità *f Harmlosigkeit*
caso *m Zufall*
far conoscenza con un certo ... *die Bekanntschaft eines gewissen ... machen*
quanto mai *sehr, äußerst*
ispirare fiducia *Vertrauen einflößen*
a prima vista *auf den ersten Blick*
confidare *anvertrauen*
malcapitato *unglücklich*
inconsapevolmente *unbewußt*
mutarsi *sich verwandeln*
ordigno *m* esplosivo *Sprengkörper*
nessuno di coloro che *keiner von denen, die*
traversata *f Überfahrt*
assassino *m Mörder*
arrestare la marcia *den (Entwicklungs-)Gang unterbrechen, hemmen*
esecutore *m Ausführende*(*r*)
non dimenticare *vergiß nicht*
è stato F. a uccìdere ... *F. hat ... umgebracht*
provare *beweisen*
èssere una pedina *ein Bauer im Spiel sein*
posta *f Einsatz*
ingente *riesig*
di che vìvere ... *was genügt, um ... zu leben*

Negli Stati Uniti, rispettato da tutti. O forse altrove, ma comunque sotto un'altra personalità. Lui conosce benìssimo l'inglese. Ha fatto l'intèrprete, ha avuto tempo di perfezionarsi nella letteratura americana. Potrà sostituire tranquillamente il professore Dwight Dempsey. Nessuno andrà a interrogare il sostituto sulla relatività e sìmili sciocchezze. Quello che conta è il denaro... C'è una cosa che non capisco, però.

– Dimmi.

– Dempsey è arrivato a Roma il sei, vero?

– Sì, immàgino sul tardi.

– Perché Ferretti ha aspettato tanto a inscenare la rapina?

– Ma è sémplice! Doveva impossessarsi prima dei trecento milioni. Evidentemente il denaro è stato prelevato in questi giorni. E poi doveva dare la caccia a me. Se non ci fossi stato io a méttere i bastoni tra le ruote, forse Dwight non avrebbe fatto una morte così orrìbile, ma sarebbe stato ucciso, diciamo, più cristianamente.

– Forse no – obiettò Silvio.

– Anzi, lo escludo del tutto. C'era sempre il perìcolo che si notasse la sostituzione del cadàvere, a meno che Dwight non somigliasse a Ferretti come un gemello, il che non credo.

– Hai ragione – riconobbi. – Mi levi un peso dal cuore.

– È fàcile varcare la frontiera con il passaporto della persona alla quale si somiglia, quando corrispóndono il sesso, le caratterìstiche antropomètriche e in qualche modo l'età. Ma non è

altrove *woanders*
comunque *jedenfalls*
intèrprete *m Dolmetscher*
sostituire *vertreten*
andare a interrogare *ausfragen*
sostituto *m Stellvertreter*
sciocchezze *f/pl. dummes Zeug*
contare *zählen, wichtig sein*
il sei *am Sechsten*
vero? *nicht wahr?*
immaginare *denken, annehmen*
sul tardi *spät(abends)*
aspettare tanto *so lange warten*
impossessarsi di *sich bemächtigen*
prelevare *abheben*
dare la caccia a qu. *j-n jagen*
méttere i bastoni tra le ruote *Hindernisse in den Weg legen*
fare una morte *den Tod finden*
obiettare *einwerfen*
esclùdere del tutto *ganz ausschließen*
c'era il perìcolo *es bestand die Gefahr*
sostituzione *f Unterschiebung*
a meno che non *außer wenn, falls nicht etwa*
somigliare a qu. come un gemello *j-m wie ein Zwilling ähnlich sehen*
il che *was*
riconobbi (*v.* riconóscere) *ich gab zu*
levare un peso dal cuore *einen Stein vom Herzen nehmen*
varcare la frontiera *die Grenze überschreiten*
corrispóndere *entsprechen*
caratterìstiche *f/pl.* antropomètriche *körperliche Kennzeichen, Maße*
in qualche modo *irgendwie*

altrettanto fàcile ingannare una persona che ci conosce. Quanto alla prima considerazione, ne ho avuto una prova tempo fa, durante un viaggio in Francia. Mi trovavo con mio fratello, che ha sei anni più di me, ma che più o meno ha i miei connotati. Non ci somigliamo per niente, ma i connotati nella loro formulazione schemàtica, sono idèntici. Alla frontiera svìzzera, poiché i passaporti di entrambi si trovàvano in una borsa, esibii quello di mio fratello, e lui il mio. Tutto liscio. Ce ne accorgemmo poi a Parigi, dopo il controllo da parte della polizìa francese.

– Sì, me ne rendo conto.

– Certo – riprese Silvio – la madre di Dempsey avrebbe fatto fare ricerche del figlio in Italia, e dopo qualche mese il professore romàntico sarebbe stato dichiarato disperso. Era un rischio, per Ferretti, sicuro, ma valeva la pena di affrontarlo. E poi, col denaro in mano, c'era sempre modo di cambiare una seconda volta identità... A propòsito, come avrà fatto, o come farà, a portar fuori quella somma?

– Ci stavo pensando – risposi perplesso. – Silvio, metti in moto i tuoi agenti e sàppimi dire se l'altro ieri o ieri sono stati fatti dei depòsiti nelle banche romane o delle città vicine, a nome di Dwight Dempsey.

– Òttima idea. Mi darò da fare, anche, per accertare se un certo Dempsey non abbia comprato per caso un'automòbile in questi giorni.

– Benìssimo.

– E per la pipa, Leslie, che idea ti era venuta poco fa?

ingannare *betrügen*
quanto a *was ... betrifft*
tempo fa *vor langer Zeit*
avere sei anni più *sechs Jahre älter sein*
connotati *m/pl. Signalement, Personenbeschreibung*
per niente *überhaupt nicht*
entrambi *beide*
esibire *vorzeigen*
tutto liscio (*es ist*) *alles glatt* (*verlaufen*)
accòrgersi di qc. *et. bemerken*
da parte di *von Seiten*
rèndersi conto di qc. *sich über et. im klaren sein*
riprèndere *fortfahren* (*im Gespräch*)
ricerca *f Nachforschung*
disperso *vermißt*
valere la pena *sich lohnen*
affrontare un rischio *ein Risiko eingehen*
èsserci modo *möglich sein*
portar fuori *ins Ausland mitnehmen*
ci stavo (*v.* stare) pensando *ich dachte gerade darüber nach*
perplesso *unschlüssig*; *verblüfft*
méttere in moto *in Bewegung setzen*
l'altro ieri *vorgestern*
fare dei depòsiti *Geld einzahlen*
darsi da fare *sein Bestes tun*
accertare *feststellen*
che idea ti era venuta? *welcher Gedanke war dir gekommen?*

Sorrisi. Dopo aver bevuto un sorso dalla bottiglia e aver passato quest'ùltima al mio amico, risposi: – Della propria vìttima, tutto si può usare fuorché la pipa.

– È vero. Non vogliamo perquisire meglio l'appartamento? Ormai che sappiamo come stanno le cose ci sarà più fàcile scoprire qualche indizio.

Mettemmo le mani dappertutto. Nel bagno, Silvio trovò la prova decisiva: una bottiglietta di cloroformio.

Ora cominciava la caccia all'uomo.

sorso *m Schluck*
passare *reichen*
usare *verwenden*
fuorché *außer*
perquisire *durchsuchen*
ormai che *da nunmehr*
indizio *m Indiz*
méttere le mani *durchsuchen*
dappertutto *überall*
decisivo *ausschlaggebend*
caccia *f* all'uomo *Menschenjagd*

I giovedì della signora Giulia

di P. Chiara

La mattina dopo, verso le ùndici, Sciancalepre aveva quasi finito il suo rapporto e stava per conclùderlo prudentemente con la frase: «Al presente verbale si farà séguito con le ulteriori indàgini in corso per addivenire all'identificazione dell'ignoto, ecc., ecc.», quando la porta del suo studio si spalancò e l'ingegnere Fumagalli, pàllido come un morto, si venne letteralmente a buttare sulla sua scrivanìa mormoràndogli sul viso in un soffio queste incredìbili parole:

«La signora Giulia... trovata, trovata! È lei, non c'è dubbio. Ci sono anche le valigie.»

Ci vòllero cinque minuti prima che l'ingegnere riprendesse fiato e potesse raccontare.

«Stamattina» disse «gli operai sono andati nel parco come al sòlito per continuare i lavori del garage. Sono sceso tardi perché non mi era riuscito di addormentarmi prima dell'alba, e sono andato a vedere il teatro delle operazioni di questa notte. Ho raccolto per terra i bòssoli dei tre colpi che Lei ha sparato, poi sono andato a vedere il muro verso la villa Sormani dal quale è entrato il nostro òspite clandestino. Mi sono accorto che a circa sei o sette metri dalla cancellata il muro divisorio ha una staffa di ferro infissa a un metro di altezza. Sono salito sul muro e ho

rapporto *m Bericht*
stare per conclùdere *gerade beenden wollen*
prudentemente *in kluger Weise, vorsichtig*
presente *vorliegend*
verbale *m (Sitzungs-)Protokoll*
fare séguito *(nach)folgen; hier: fortfahren*
in corso *schon laufend*
addivenire *gelangen*
spalancarsi *weit aufgerissen werden*
pàllido come un morto *leichenblaß, totenbleich*
letteralmente *buchstäblich*
buttare *werfen*
in un soffio *im Nu*

ci vòllero (*v.* volere) cinque minuti *es dauerte fünf Minuten*
riprèndere fiato *wieder zu Atem kommen*
come al sòlito *wie gewöhnlich*
sceso (*v.* scéndere) *hinuntergegangen*
non mi era riuscito di *ich konnte nicht*
addormentarsi *einschlafen*
andare a vedere *besichtigen*
teatro *m* delle operazioni *Tätigkeitsgebiet, -schauplatz*
bòssolo *m* Patronenhülse
colpo *m Schuß*
òspite *m* clandestino *heimlicher Gast*
mi sono accorto (*v.* accòrgersi) *ich habe bemerkt*
cancellata *f Gitter*
muro *m* divisorio *Grenzmauer*
staffa *f (Steig-)Bügel*
infisso (*v.* infìggere) *eingeschlagen, eingerammt*

notato che dalla parte del parco Sormani il terreno ha un rilievo di almeno un metro superiore al livello del nostro parco. È facilìssimo, anche per una persona anziana, passare dalla villa Sormani nella nostra scavalcando il muro e ritornare per la stessa strada, con l'aiuto del ferro sporgente.

«Ma la signora Giulia?» chiese il Commissario al colmo dell'impazienza.

L'ingegnere continuò:

«Mentre stavo provando a passare il muro, fui chiamato da uno dei miei muratori. Andai sullo spiazzo davanti alla rimessa e vidi che avévano terminato di scoprire il selciato. Il muratore mi condusse davanti a un tombino quadrato che avévano aperto togliendo una grossa pietra munita di un anello. Demetrio, che era presente, disse che si trattava di una cisterna per la raccolta dell'acqua piovana. La cisterna e il suo tombino èrano da almeno trent'anni nascosti dal prato che era cresciuto sul vecchio cortile.

«Guardando in fondo alla cisterna si vedeva nettamente una grossa valigia. Mi dìssero i muratori che appena tolto il tombino, dalla cisterna era uscito un intenso odore di funghi e di strame. Affacciàndosi all'apertura si sentiva quasi un profumo di sottobosco ùmido. Mandai a prèndere una làmpada elèttrica e mi feci calare nella cisterna dove c'èrano cinque centìmetri di acqua. Poco più in là, sotto il raggio della làmpada elèttrica mi apparve una forma umana. Vidi due piedi calzati con scarpe femminili, due sottili stinchi; e salendo con la luce lungo il

rilievo *m Erhöhung*
almeno *mindestens*
livello *m Höhe, Niveau*
anziano *älter*
scavalcare il muro *über die Mauer klettern*
sporgente *hervorstehend*
al colmo dell'impazienza *in äußerster Ungeduld*
stare provando *gerade versuchen*
spiazzo *m freier Platz*
rimessa *f Garage*
selciato *m Pflaster*
tombino *m Senkloch, Gully*
quadrato *viereckig*
tògliere *wegnehmen, entfernen*
munito di *versehen mit*
raccolta *f Sammeln*
acqua *f* piovana *Regenwasser*
nascosto (*v.* nascóndere) *verborgen*
prato *m Wiese*
cortile *m Hof*
in fondo *hinunter, auf den Grund*
nettamente *deutlich*
tolto (*v.* tògliere) *entfernt*
fungo *m Pilz*
strame *m Streu*
affacciarsi *herantreten*
sottobosco *m Unterholz*
mandare a prèndere *holen lassen*
calare *herablassen*
poco più in là *nicht viel weiter*
apparve (*v.* apparire) (*sie*) *erschien*
forma *f Gestalt*
calzato *beschuht*
stinco *m Schienbein*

corpo, il volto della signora Giulia, ben riconoscìbile. Non mi pareva possìbile, dopo tre anni che era rimasta in quella tomba, di poterla ravvisare così bene. Mi hanno tirato fuori dalla cisterna che non mi reggevo sulle gambe. Ho fatto sùbito richiùdere e sono corso qui.»

Restàrono in silenzio per qualche minuto. Sciancalepre pensava.

Nella màcchina da scrìvere il verbale attendeva la conclusione delle ùltime righe. Ora Sciancalepre sapeva come l'avrebbe completato. Parlando più con sé stesso che con l'ingegnere, ricostruì i fatti:

«L'avvocato Esengrini, scoperta la tresca di sua moglie col Barsanti, gli scrisse la famosa lèttera per indurlo a cambiar aria. Quando venne il giovedì, vedendo che la moglie si preparava a partire per Milano e che la faccenda continuava, tornato dalla pretura affrontò la moglie e le disse tutto quello che sapeva. Mi pare di sentirlo: «Tu vai a Milano, fai una corsa al collegio, poi prendi un taxi e vai in viale Premuda al nùmero tale dove ti aspetta Luciano...». M'immàgino la scena. Accuse, controaccuse, poi l'improvvisa furia, magari davanti a una confessione spietata della donna. Le mani al collo, il *raptus*, e un momento dopo un corpo inerte che si accasciava. Un àttimo di terrore, di smarrimento, e quindi il sopravvenire della lucidità raziocinante dell'uomo di legge, dell'esperto di delitti e di prove. Attraverso la cantina è sceso nel parco per non attraversare il cortile interno, trasci-

riconoscìbile *erkennbar, wiederzuerkennen(d)*
ravvisare *erkennen*
non règgersi sulle gambe *sich kaum auf den Beinen halten können*
fare richiùdere *wieder verschließen lassen*
riga *f Zeile*
completare *vervollständigen*
tresca *f Liebesaffäre*
indurre qu. a cambiar aria *j-n zu einer Luftveränderung veranlassen*
pretura *f Amtsgericht*
affrontare qu. *j-m entgegentreten*
fare una corsa *rasch laufen*
collegio *m Internat*
viale *m Allee*
il nùmero tale *die gewisse (Haus-)Nummer*
accusa *f Vorwurf*
magari *vielleicht*
davanti a una confessione *bei einem Geständnis*
spietato *unbarmherzig, schonungslos*
raptus *m Raptus (Anfall von Raserei)*
inerte *leblos*
accasciarsi *zusammenbrechen*
smarrimento *m Bestürzung*
il sopravvenire *das plötzliche Eintreten*
raziocinante *vernunftgemäß*
uomo *m* di legge *Jurist*
cantina *f Keller*
trascinare *schleppen*

nando o meglio portando in braccio il cadàvere... Questo itinerario l'ho pensato tante volte. Ma mi chiedevo sempre dove fosse andato a terminare. Quante volte ho percorso il parco in quei giorni per cercare una fossa. Ci ho perfino portato un cane addestrato. Ma sopra la signora Giulia c'era una pietra a incastro, con i màrgini interrati e le zolle erbose ricomposte diligentemente! Chi se la poteva sognare quella cisterna! L'avvocato, dalla cantina uscì nel parco, raggiunse la rimessa, rimosse le zolle erbose, aprì la bòtola che sapeva e calò nel vuoto il corpo. Poi rientrò in casa e simulò la fuga. Fece le valigie con un po' di biancherìa e qualche vestito, la valigetta per le gioie e le cose minute. Una delle due valigie era troppo grossa e non entrava nella bòtola. Allora ne prese una più ridotta, lasciando l'altra nella càmera della signora. Dopo aver calato anche le valigie nella cisterna la rinchiuse, ricollocò le zolle al loro posto e tornò in casa. Tutto dev'èssere avvenuto tra mezzogiorno e le trédici, dopo che la Teresa era tornata a casa sua. Il conto torna, perché la Teresa dichiarò di èssere andata in casa dell'avvocato quella mattina per le sòlite pulizìe, come al sòlito. Ma la signora la mandò indietro dicèndole di ritornare alle ùndici. Alle ùndici, quando ritornò, si sbrigò in mezz'ora perché al giovedì non serviva la colazione di mezzogiorno: la signora, che partiva col treno delle quattòrdici, preparava lei la tàvola e alla una e quaranta partiva, lasciando tutto in disórdine. La Teresa

itinerario *m Weg*
tante volte *mehrmals*
andare a terminare *ein Ende nehmen*
fossa *f Grube*
perfino *sogar*
addestrato *abgerichtet, ausgebildet*
pietra *f* a incastro *eingelassener Stein*
interrato *mit Erde aufgeschüttet*
zolla *f* erbosa *Grasscholle*
chi se la poteva sognare ...! *wer konnte auch nur im Traum an ... denken!*
rimuòvere *wegräumen*
bòtola *f Falltür*
sapere *kennen*
calare nel vuoto *in den leeren Raum herunterlassen*
gioia *f Juwel*
cose *f/pl.* minute *Kleinigkeiten*
entrare *hineingehen*
più ridotto *kleiner*
rinchiùdere *verschließen*
ricollocare *wieder (zurück)legen*
avvenire *geschehen*
il conto torna *die Rechnung stimmt*
dichiarare *aussagen*
le sòlite pulizìe *das übliche Reinemachen*
come al sòlito *wie gewöhnlich*
mandare indietro *zurückschikken*
dicèndole (*v.* dire) *und (sie) sagte ihr*
sbrigarsi *sich beeilen*
colazione *f* di mezzogiorno *Mittagessen*
preparare la tàvola *den Tisch decken*
disórdine *m Unordnung*

arrivava alle due, sparecchiava, lavava i piatti e lavorava con la donna di fatica che prendeva servizio verso le quattòrdici. Alla mattina la signora voleva sempre restare sola in casa. Tutto fila alla perfezione: tra mezzogiorno e l'una. Alle due e mezzo era da me a recitare la commedia. Mi aspettava dalla una e mezza: il tempo di méttersi in órdine. Mi disse che non aveva neppure mangiato. Sfido io!»

sparecchiare *den Tisch abdekken*
donna *f* di fatica *Dienstmädchen*
prèndere servizio *die Arbeit aufnehmen*
tutto fila alla perfezione *alles läuft ausgezeichnet*
recitare la commedia *die Komödie aufführen*
sfido io! *das glaube ich!*

Così dicendo Sciancalepre si alzò.

«Andiamo sul posto» disse. «Passiamo prima a prèndere un mèdico, il Pretore e un Cancelliere e andiamo a riconóscere il cadàvere. Il resto verrà da sé.»

sul posto *an Ort und Stelle*
passare a prèndere *holen gehen*
prima *(zu)erst*
pretore *m Amtsrichter*
cancelliere *m Gerichtsschreiber*
riconóscere *hier: identifizieren*
il resto verrà (*v.* venire) da sé *das Weitere wird sich finden*

Ad ogni buon conto inviò un brigadiere e l'agente Pulito a piantonare lo studio e la casa dell'avvocato Esengrini, con l'órdine di non pèrderlo d'occhio se usciva di casa e di fermarlo se fosse salito su qualche màcchina. Poi si avviò con l'ingegner Fumagalli verso la Pretura.

ad ogni buon conto *vorsichtshalber*
piantonare *bewachen*
uscire di casa *das Haus verlassen*
avviarsi verso *sich auf den Weg machen zu*

Il Pretore, informato, informò a sua volta la Procura per telèfono e chiese consiglio. Gli fu detto di procèdere senz'altro al fermo dell'avvocato non appena identificato il cadàvere.

a sua volta *seinerseits*
procura *f Staatsanwaltschaft*
procèdere al fermo di qu. *j-n festnehmen*
senz'altro *ohne weiteres*

Mentre il gruppo usciva dalla Pretura per avviarsi alla villa, l'Esengrini entrava sotto il portone seguito alla lontana dai due uòmini di Sciancalepre. Andava tranquillamente a guardare il fascìcolo di un processo fissato per l'indomani. L'incontro non fu drammàtico. L'ingegnere, che non parlava col suòcero, era andato avanti.

alla lontana *von weitem*
fascìcolo *m Aktenheft*
andare avanti *vorausgehen*

«Dove si va?» chiese l'avvocato. «Qualche sopralluogo?»

«Avvocato» tagliò corto il Pretore «venga anche Lei. Andiamo a fare un sopralluogo che La interessa: nella villa di Sua figlia.»

L'avvocato guardò il gènero che si era soffermato volgendo le spalle al gruppo. Guardò il Commissario che aveva abbassato la testa, poi gli posò una mano sulla spalla.

«Avete trovato qualche cosa?» disse a mezza voce.

«Sì» gli rispose il Commissario «qualche cosa di decisivo.»

Intanto il brigadiere e l'agente si èrano avvicinati. L'avvocato si accorse che l'avévano seguito dalla soglia del suo studio. Senza più parlare, si mise di fianco al Commissario e si avviò con tutto il gruppo. Nessuno, vedèndoli passare, pensò di cosa si trattasse. C'era poca gente in giro. Era un giovedì. Un altro dei giovedì della signora Giulia.

Arrivati al portone di via Lamberti l'avvocato fu fatto passare per secondo, dopo il Pretore. La signora Emilia era in casa ma non si accorse di nulla. Non sapeva ancora del ritrovamento. Il drappello scese la scalea, percorse il parco fino alla rimessa e arrivò nello spiazzo. Demetrio e i due muratori aspettàvano in piedi, un po' discosti dal tombino chiuso.

Il Pretore fece aprire. Fùrono portate altre làmpade e il Commissario tolse da sotto il sopràbito una torcia che diede all'agente ordinàndogli di calarsi nella cisterna e di métter fuori le due valigie.

sopralluogo *m Lokaltermin*
tagliar corto *es kurz machen*

soffermarsi *stehenbleiben*
vòlgere le spalle *den Rücken zuwenden*
abbassare la testa *den Kopf senken*

a mezza voce *halblaut*

qualche cosa di decisivo *etwas Entscheidendes*

avvicinarsi *sich nähern*
soglia *f Schwelle*
méttersi di fianco a qu. *an j-s Seite treten*

in giro *auf der Straße, unterwegs*

arrivati al portone *als sie vor dem Haustor ankamen*
per secondo *als zweiter*

non si accorse (*v.* accòrgersi) di nulla *sie merkte nichts*
ritrovamento *m Auffindung, Fund*
drappello *m Trupp*
scalea f *Freitreppe*

un po' discosto *ein wenig abseits, nicht weit weg*

tolse (*v.* tògliere) (*er*) *holte hervor*
sopràbito *m Überzieher*
torcia *f Fackel*
ordinare *befehlen*

Fu un'operazione lunga e diffìcile. L'avvocato se ne stava impalato vicino all'apertura guardando in basso. Riconobbe le due valigie con un cenno della testa.

Messe le valigie una presso l'altra, fùrono aperte. Contenévano biancherìa stipata alla rinfusa, vestiti accartocciati e inzuppati d'acqua e di melma. La valigetta conteneva due borsette soltanto. Fùrono aperte le borsette. Una era vuota e l'altra, svuotata, mise in luce un rossetto, un portacipria arrugginito, un fazzolettino, qualche chiave, un paio di guanti, un portafoglio, che fu aperto per tòglierne i pochi denari che aveva dentro: seimila Lire in tutto. Nel portafoglio c'èrano alcune carte, una fotografìa della figlia, un documento di riconoscimento, un pìccolo taccuino. Il tutto infarcito d'acqua, di fango e di muffa color caffè.

Dopo una completa ispezione delle valigie entrò nella cisterna il Commissario. Il Pretore si distese a pancia per terra sul terreno dove èrano stati spiegati alcuni giornali e fece penzolare la testa nel vuoto. Illuminata dalla torcia, si vedeva una forma scura, quasi flottante sopra un velo d'acqua nera.

Dopo un'ora di lavoro e con l'aiuto dei due muratori, il corpo fu estratto e disteso per terra. Si dovette usare un telo perché le membra si staccàvano.

L'ingegnere era salito in casa per impedire che la moglie, sospettando qualche cosa o avvertita dalla Teresa, scendesse nel parco e si trovasse davanti a quella scena. Intanto aveva telefonato, per incàrico del Pretore,

stàrsene impalato *stocksteif dastehen*

cenno *m* della testa *Kopfnicken*

messo (*v.* méttere) *gestellt*
uno presso l'altro *nebeneinander*
èssere aperto *geöffnet werden*
stipato alla rinfusa *bunt durcheinandergepreßt*
accartocciato *zusammengerollt*
melma *f Schlamm*

svuotare *ausleeren*
méttere in luce *zeigen*
rossetto *m Lippenstift*
portacipria *m Puderdose*
arrugginito *verrostet*

documento *m* di riconoscimento *Ausweis*
taccuino *m Notizbuch*
infarcito di *voll von*
fango *m Schlamm*
muffa *f Schimmel*

distèndersi a pancia per terra *sich auf den Bauch legen*

spiegare *ausbreiten*
far penzolare la testa *den Kopf herabhängen lassen*

flottante *schwimmend*

èssere estratto *herausgezogen* (*hier: geborgen*) *werden*

telo *m Bahn* (*Leinwand*)
membra *f/pl. Glieder*
staccarsi *sich loslösen, abgehen*
impedire *verhindern*
avvertire *benachrichtigen*

per incàrico di qu. *im Auftrag j-s*

a un fotògrafo. Poco dopo venìvano eseguite le fotografìe di ogni cosa e specialmente del cadàvere. Sul riconoscimento non vi era dubbio. Lo stesso avvocato disse per primo: «È lei.»

eseguire le fotografìe *die Aufnahmen machen*
riconoscimento *m Identifizierung*

Quel viso un tempo così pàllido, era diventato colore del miele e quasi trasparente. I capelli, intatti, si spargévano sul terreno e un raggio di sole penetrato tra gli àlberi li accendeva di un riflesso caldo, quasi li confondeva con le foglie secche e accartocciate sparse sul prato.

trasparente *durchsichtig*
intatto *unberührt, unversehrt*
spàrgersi *sich ausbreiten*
accèndere *entzünden*
riflesso *m Widerschein*
confóndere *vermengen*
sparso (*v.* spàrgere) *verstreut*

I vestiti si èrano scoloriti e quasi fusi col corpo, come quelli delle statue. La figura aggraziata e fiorente della signora Giulia non era più riconoscìbile in quella forma. Distesa sul terreno sembrava uno schèletro rivestito. D'intorno le si formava lentamente una pozza di liquame che il selciato non riusciva ad assorbire. Solo i capelli ne restàvano immuni, così sciolti come nessuno dei presenti, tranne l'avvocato, li aveva mai visti. Sembrava il capo di una ragazza, e nonostante le occhiaie vuote, ricordava moltìssimo negli zìgomi e nella fronte il volto dell'Emilia. Quando la mòssero, dalle occhiaie fluì un denso lìquido oscuro. Dall'anulare sinistro le fu tolta la fede d'oro dentro il cui cerchio era leggìbile la data del matrimonio.

fuso (*v.* fóndere) *verschmolzen*
aggraziato *anmutig*
fiorente *blühend*
d'intorno le *um sie herum*
formarsi *sich bilden, entstehen*
liquame *m Jauche*
assorbire *aufsaugen*
nessuno dei presenti *keiner der Anwesenden*
nonostante *trotz*
occhiaia *f Augenhöhle*
zìgomo *m Jochbein*
fluire *fließen*
anulare *m Ringfinger*
tògliere la fede *den Trauring abziehen*

La salma venne portata all'obitorio per l'autopsìa, e per farla uscire fu aperto il cancello sulla strada campestre. La vecchia chiave appesa al chiodo nella rimessa funzionava ancora. Arrivò il furgone e l'ùltimo viaggio della signora Giulia si compì.

obitorio *m Leichenhalle*
autopsìa *f Leichenöffnung, Obduktion*
strada *f* campestre *Feldweg*
chiodo *m Nagel*
furgone *m Kastenwagen*
compirsi *sich vollziehen*

L'albergo delle tre rose

di A. De Angelis

Nel tornare nella hall con Sani, De Vincenzi mormorò: «Siamo alla fine! Ma il più tremendo deve venire ancora!» Ed entrò nel salottino azzurro. Tutti stàvano ancora in piedi e lo fissàrono con terrore, come se attendéssero l'annunzio di un'altra catàstrofe. Lui affettò indifferenza. Sorrise persino.

«Sedete pure. Miss Essington è un poco folle. Non deve aver veduto nessun cadàvere e nessun assassino. La cocaina le dà le allucinazioni.» Si volse a Mary Alton: «Bisogna terminare al più presto. Vi prego, Mrs. Alton, andate a prèndere le bàmbole...»

La védova rimase qualche istante perplessa, come se non avesse capito; mandò un sospiro profondo, battè le ciglia. De Vincenzi ripeté l'invito. Allora, lei annuì col capo e uscì in fretta. Si sentìrono i suoi passi leggeri – e come veloci! – sullo scalone. Poi più nulla. Gli uòmini si èrano seduti. Flemington dovette toccare il braccio alla moglie, per trarla accanto a sé, ché lei era come impietrita.

«Siete proprio sicuro, Besesti, *che l'assassino non può èsser Lessinger?*»

«No! Non può èsser Julius Lessinger...»

«Perché?»

nel tornare *als er zurückkam*

il più tremendo *das Schrecklichste*
deve (*v.* dovere) venire ancora *(es) kommt noch*
salottino *m Empfangszimmer*
come se *als ob*
attèndere l'annunzio *die Nachricht erwarten*
affettare indifferenza *Gleichmut heucheln*

folle *verrückt*
assassino *m Mörder*
allucinazione *f Täuschung*

al più presto *so bald wie möglich*
andare a prèndere *holen*
bàmbola *f Puppe*
rimanere perplesso *sprachlos dastehen*
mandare un sospiro profondo *einen tiefen Seufzer ausstoßen*
bàttere le ciglia *mit den Augenlidern zucken*
invito *m Aufforderung*
annuire col capo *mit dem Kopf nicken*
in fretta *eilig*
scalone *m große Treppe*

èssere come impietrito *wie versteinert dastehen*

Non rispose. Si vide lo sforzo che faceva per deglutire, come se la gola gli si fosse chiusa.

«Perché?»

«Perché... Julius Lessinger è morto a Buenos Ayres nel 1913...»

La rivelazione era tanto straordinaria, che nessuno trovò la forza di parlare. Il primo a riaversi fu l'avvocato. Balzò in piedi, minacciando Besesti col pugno teso.

«Farabutto!»

Besesti chinò il capo.

«Ignòbile ricattatore!»

«Tacete, Flemington!» gridò De Vincenzi.

«È un farabutto! ... Ha tenuto per cinque anni Harry Alton sotto il terrore della vendetta di Lessinger!...»

«Tacete, adesso!» e il commissario lo obbligò a sedere.

«È vero!» mormorò Besesti. «Ma io non ho più parlato di Lessinger al maggiore, dopo...»

«Dopo che lo avevate indotto a divenir vostro socio nell'impresa di... cabotaggio...»

«Sì. Avevo conosciuto per caso Julius Lessinger all'Ospedale di Buenos Ayres... Eravamo vicini di letto... Lui era molto ammalato... una tubercolosi senza scampo... Mi confidò tutta la storia...»

«Da chi l'aveva saputa?...»

«Sembra che un giorno avesse fatto ubriacare Dick Nolan e lo avesse fatto parlare... È stato lui a uccìderlo... in battaglia... Gli sparò un colpo di fucile alle spalle... Non aveva ucciso anche Alton, perché voleva prima

si vide (*v.* vedere) *man merkte*
sforzo *m Anstrengung*
deglutire *schlucken*
rivelazione *f Enthüllung*
riaversi *wieder zu sich kommen*
il primo a riaversi *der erste, der wieder zu sich kam*
pugno *m* teso *geballte Faust*
farabutto *m Schurke*
chinare il capo *den Kopf senken*
ignòbile ricattatore *m gemeiner Erpresser*
terrore *m Schrecken, Angst*
obbligare *nötigen, zwingen*
maggiore *m Major*
indurre a *veranlassen zu*
impresa *f Unternehmung*
cabotaggio *m Küstenschiffahrt*
conóscere *kennenlernen*
per caso *zufällig*
senza scampo *aussichtslos*
confidare *anvertrauen*
avere saputo *erfahren haben*
fatto (*v.* fare) ubriacare *betrunken gemacht*
è stato lui a uccìderlo *er hat ihn umgebracht*
colpo *m* di fucile *Gewehrschuß*

ricuperare il cofanetto dei diamanti... Poi si ammalò e fu fatto tornare a Johannesburg... Intanto, Alton ed Engel èrano andati in Inghilterra. Come Lessinger capitasse a Buenos Ayres non lo so. So soltanto che morì disperato, perché voleva vendicarsi di Alton ed era anche riuscito a sapere dove si trovasse...»

«A Sidney?»

«Sì.»

«E voi allora?»

«Morto Lessinger partii per Sidney... La mia situazione a Buenos Ayres s'era fatta insostenìbile...»

«E vedeste sùbito, nella storia di Lessinger, il mezzo per ristabilire le vostre esauste finanze!»

Flemington era ancora in uno stato di estrema eccitazione. Che Besesti avesse giocato con Harry Alton la commedia infame dell'esistenza di Lessinger e che lo avesse tenuto sotto la minaccia ricattatoria, doveva esasperarlo soprattutto per le conseguenze che ne èrano derivate anche a lui e alla madre di Douglas Layng.

«Ma quella lèttera! ... Quella lèttera chi l'ha scritta, allora?» ruggì Flemington, tendendo il dito verso il tàvolo, sul quale giaceva sempre il foglio proveniente da Amburgo.

«L'ha scritta chi voleva cómpiere ... quel che ha compiuto, facendo crédere di èssere Lessinger,» rispose con voce plàcida De Vincenzi. «Mister Besesti, nessun altro oltre voi conosceva la morte di Lessinger?...»

«Io ho taciuto con tutti!» Poi si alzò. «Giuro sul Cristo che da cinque

ricuperare *wiederbekommen*
cofanetto *m Schmuckkästchen*
fu fatto tornare *man ließ ihn zurückfahren*
capitare a ... *nach ... kommen, geraten*
so (*v.* sapere) soltanto *ich weiß nur*
vendicarsi di qu. *sich an j-m rächen*
era anche riuscito a sapere *er hatte auch erfahren können*
morto L. *nach L.s Tod*
insostenìbile *unhaltbar*
ristabilire *wiederherstellen*
esausto *erschöpft*
estremo *äußerst, höchst*
eccitazione *f Erregung, Aufregung*
infame *niederträchtig*
esistenza *f Dasein, Leben*
minaccia *f Drohung*
ricattatorio *erpresserisch*
esasperare *erbittern*
derivare *herrühren, erwachsen, entstehen*
ruggire *brüllen*
tèndere il dito *den Finger ausstrecken*
cómpiere *vollbringen*
far crédere *glauben machen; hier: vortäuschen*
oltre voi *außer Ihnen*
giurare su *bei ... schwören*

anni non ho più parlato di Julius Lessinger con Alton o con altri... Le minacce che gli son state fatte non provèngono da me...»

Era sincero. Una volta riuscìtogli il ricatto iniziale, che lo aveva arricchito, quale scopo avrebbe avuto lui a continuare lo sfruttamento di un segreto, che era comunque pericoloso, perché tale da mandare alla forca proprio colui di cui era socio e al quale aveva legato la sua sorte? Qualcun altro, evidentemente, conosciuta la storia della strage atroce, s'era attribuita la personalità di Lessinger, prendèndosi la cura di mantenere desto il terrore di Alton. A quale scopo?

E a quale scopo aveva ucciso Douglas Layng, aveva ferito, per uccìderla, Carin Nolan e teneva ancora tutte quelle persone sotto la minaccia incombente? La voce profonda e rauca di Vilfredo Engel risuonò stranamente turbata.

«Chiunque sia l'assassino, è tra noi!»

Che si trovasse nell'albergo era evidente, anche perché Stella Essington lo aveva veduto e Novarreno aveva pagato con la vita il tentativo fatto di ricattarlo. Ma che potesse trovarsi in quella saletta...

«Che cosa intendete dire, Engel?» L'uomo aveva raccolto la bàmbola e la teneva per una gambina, con la testa penzolante. Rispose, animàndosi, e si mise a gesticolare con quella bàmbola che agitava davanti a sé. Il pastrano gli si era aperto, mostrando il pigiama

son = sono
provenire da *(her) stammen von*
una volta riuscìtogli *da ihm ... einmal gelungen war*
ricatto *m Erpressung*
iniziale *anfänglich, ursprünglich*
arricchire *reich machen*
scopo *m Zweck*
quale scopo avrebbe avuto lui a ...? *wozu hätte er ... sollen?*
sfruttamento *m Ausnutzung, Verwertung*
comunque *auf jeden Fall*
tale *so beschaffen, derart*
mandare alla forca *an den Galgen bringen*
proprio *gerade, ausgerechnet*
strage *f Gemetzel*
attribuirsi *sich zuschreiben, sich anmaßen*
prèndersi la cura di *dafür sorgen*
mantenere desto *wachhalten*
ferire *verwunden*
incombente *bevorstehend; drohend*
minaccia *f* incombente *hier: ständige Drohung*
rauco *heiser*
risuonare *klingen*
turbato *verstört, aufgeregt*
chiunque *wer auch immer*
evidente *klar, offensichtlich*
tentativo *m Versuch*
ricattare *erpressen*
saletta *f kleiner Saal; hier: Raum*
intèndere dire *sagen wollen*
gambina *f Beinchen*
con la testa penzolante *mit herabhängendem Kopf*
animarsi *lebhaft werden*
si mise (*v.* méttersi) a gesticolare *er begann zu gestikulieren*
pastrano *m Mantel*
pigiama *m Schlafanzug*

bianco, che gli fasciava il corpo. Era buffonesco come un clown.

«Le lèttere sono state scritte per atterrire e rènder più fàcile la commedia tràgica. Soltanto uno di noi ... poteva sapere la storia ... e conóscere il luogo di convegno degli eredi... *E soltanto uno di noi poteva avere interesse a che gli altri morìssero.*»

«Ma perché?» gridò Besesti.

Flemington s'era levato e fissava Engel.

«Che cosa intendete dire, mister Engel?»

Il pachiderma si volse lentamente e contemplò l'avvocato. Poi sogghignò.

«Nessuno meglio di voi, mister Flemington di Lincoln's Inn Fields, che siete avvocato, può comprèndere l'interesse per un erede ... *di rimaner solo a ricévere l'eredità!*»

Besesti intervenne.

«In tal caso, io sono escluso da ogni sospetto. Io non avevo nulla da aspettarmi da Alton. E debbo ancora sapere perché sia stato convocato a questa riunione infernale!»

Si sentì lenta, posata, la voce di Da Como, che si rivolgeva al commissario:

«Anch'io non c'entro nulla! Che sia dannato, se farò mai più uno scherzo in vita mia, e l'aver messo la bàmbola sul letto di Engel non era che uno scherzo... Perché mi avete fatto venire quaggiù?»

De Vincenzi ebbe un sussulto. La bàmbola! ... Le due bàmbole, che era andata a prèndere Mary Alton... E non tornava!

«Sani!» gridò con voce tagliente.

fasciare il corpo *den Körper umhüllen*
buffonesco *drollig*
atterrire *erschrecken*
rènder più fàcile *erleichtern*
luogo *m* di convegno *Ort der Zusammenkunft, Treffpunkt*
erede *m (der) Erbe*
a che *daß*
levarsi *aufstehen*
fissare *anstarren, fixieren*
pachiderma *m ungeschlachter Mensch*
vòlgersi *sich umwenden*
sogghignare *grinsen*
eredità *f Erbschaft*
intervenire *sich einschalten*
escluso (*v.* esclùdere) *ausgeschlossen, ausgenommen*
sospetto *m Verdacht*
convocare *einberufen*
riunione *f Versammlung*
infernale *teuflisch*
posato *bedächtig*
io non c'entro nulla *ich habe nichts damit zu tun*
che sia dannato *verdammt will ich sein*
mai più *jemals wieder*
aver messo (*v.* méttere) *gesetzt haben*
quaggiù *hier herunter*
avere un sussulto *zusammenzucken*
tagliente *scharf*

«Èccomi!» rispose Sani, accorrendo dalla hall.

«Chi è di guardia al primo piano?...» Il vice-commissario impallidì.

«Nessuno ... È vero! ... C'ero io e sono disceso dietro a quella donna...»

De Vincenzi si lanciò, cacciò da parte Sani, salì di corsa su per lo scalone. Ma non era ancora al primo pianeròttolo, che si fermò. Davanti a lui era apparsa Mary Alton. Scendeva lentamente e teneva fra le braccia le due bàmbole.

«Ah!» sospirò il commissario. Poi si riprese, sorrise: «Temevo che non riusciste a trovare la bàmbola di Carin Nolan...»

«L'ho dovuta cercare in tutti i cassetti, infatti... Non la trovavo... Era in una cappelliera, nell'armadio...»

«Bene.»

Lasciò passare la donna avanti a sé. La seguì. Attese che fosse entrata nella saletta.

«Sali al primo piano e fa' la guardia nel corridoio... Le càmere n. 7 e n. 19 sono occupate, lo sai... Preòccupati soprattutto del 7 ... e, se senti il più pìccolo rumore sospetto, entra sùbito...»

«Sta' sicuro,» si affrettò a dire Sani, che voleva farsi perdonare la dimenticanza di prima.

«Sei armato?»

«Sì...» e mostrò la rivoltella, che gli gonfiava la tasca della giacca.

De Vincenzi rientrò nel salottino. La védova aveva deposto una bàmbola sul tàvolo e s'era seduta con l'altra in braccio. La stringeva fortemente contro

èccomi! *hier bin ich!*
accórrere *herbeilaufen*
èssere di guardia *Wache halten*
piano *m Stock(werk)*
impallidire *blaß werden*
lanciarsi *losstürzen*
cacciare da parte *zur Seite stoßen*
di corsa *schnell*
pianeròttolo *m Treppenabsatz*
apparso (*v.* apparire) *erschienen*
sospirare *seufzen*
riprèndersi *sich erholen*
cassetto *m Schublade*
cappelliera *f Hutschachtel*
attese (*v.* attèndere) che fosse entrata *er wartete, bis sie ... betreten hatte*
n. = nùmero
preoccuparsi di *sich kümmern um*
sospetto *verdächtig*
affrettarsi *sich beeilen*
dimenticanza *f Unachtsamkeit*
armato *bewaffnet*
gonfiare *aufbauschen*
deposto (*v.* deporre) *gelegt*
strìngere contro il petto *an die Brust drücken*

il petto. Era la *sua* bàmbola. Quella deposta sul tàvolo, se pur sìmile in tutto alle altre due, aveva la vesticciuola di seta azzurra. Come mai le altre, invece, èrano entrambe vestite di garza rosa?

«Mister Engel, quando vostro fratello tornò dall'Africa, la bàmbola che recava con sé, che veste aveva?»

«Come dice?» chiese quello stupito. Non arrivava a capire che cosa c'entrasse il vestito della bàmbola in un dramma di quella specie.

Fu la signora Flemington, che rispose:

«I due àbiti di garza rosa li ho cuciti io. Mio marito me ne diede l'incàrico... Harry Alton lo aveva pregato di preparare due abitini per le bàmbole...»

«Harry temeva che Lessinger arrivasse a Londra e scoprisse le bàmbole e le riconoscesse come quelle che avévano appartenuto alle sorelline... Voleva distrùggerle ... le chiese a Engel e a sua moglie ... ma tanto Engel che Mrs. Mary rifiutàrono di consegnàrgliele... Allora, pensò di cambiare loro gli àbiti... Fu mia moglie, come vi ha detto, che li fece...»

«E quella?» chiese il commissario, indicando la bàmbola azzurra.

«Carin Nolan risiedeva in Norvegia ... e dal Transvaal, dopo la morte di suo nonno, la bàmbola era stata spedita a Cristiania...»

«Ma voi, Mrs. Alton, non avevate detto a vostro marito di averla smarrita?...»

«Non ricordo!» rispose la védova. E corrugò un poco la fronte. «Il fatto è

se pur *obwohl*
vesticciuola *f Kleidchen*
come mai? *wieso?*
entrambe (*f/pl.*) *beide*
vestito di *gekleidet in*
garza *f Gaze, Flor*
recare con sé *mitbringen*
veste *f Kleid*
stupito *erstaunt*
arrivare a capire *verstehen können*
che cosa c'entrasse ... in *was ... zu tun hatte mit*
di quella specie *derartig*
cucire *nähen*
dare l'incàrico *den Auftrag geben*
preparare *anfertigen*
abitino *m Kleidchen*
temere *fürchten*
scoprire *entdecken*
riconóscere come (*wieder*)*erkennen als*
appartenere *gehören*
distrùggere *zerstören*
chièdere *verlangen*
tanto ... che *sowohl ... als auch*
rifiutare *ablehnen*
consegnare *übergeben, aushändigen*
indicare qc. *auf et. zeigen*
risièdere *wohnen*
spedire da ... a *von ... nach ... senden*
smarrire *verlegen*; *hier: verlieren*
non ricordo *ich weiß* (*es*) *nicht mehr*
corrugare la fronte *die Stirn runzeln*
il fatto è che *Tatsache ist, daß*

che mi ero affezionata alla bàmbola e negai ad Harry di averla ancora ... oppure lo pregai di lasciàrmela... Non ricordo. Forse, dissi entrambe le cose... Harry era molto sospettoso e non era fàcile ingannarlo... Ma non vedo quale importanza...»

«Infatti, non ne ha alcuna!...»

«Sicuro che è vero della veste!...» esclamò Engel di colpo. «Un giorno venne Harry da me e fu lui stesso che cambiò l'abitino davanti ai miei occhi. La vesticciuola azzurra fu bruciata nel caminetto della mia stanza...»

«Mister Flemington ... leggete il testamento!...»

Flemington si alzò. Era evidentemente turbato. Esitò prima di dirìgersi alla valigetta nera, che aveva lasciata sulla sèggiola dove l'aveva messa per prèndere la lèttera firmata Julius Lessinger.

«È vostra, commissario, la responsabilità di questa lettura ... in un momento così pericoloso...»

«È necessario, mister Flemington!» e si guardò attorno, fissando una a una le persone che lo circondàvano.

In tutti era visìbile la sospensione ansiosa dell'attesa. In tutti, tranne in Besesti, il quale – dopo la sua confessione – s'era accasciato e, coi gómiti sul tàvolo, la testa fra le mani, rimaneva immòbile con lo sguardo chino. Flemington aveva aperto la valigia e ne aveva preso un grande portafogli di cuoio nero. Si avvicinò al tàvolo e trasse dal portafogli una larga busta, che recava sul verso cinque grossi sigilli rossi. Sul retro, si vedévano quattro o cinque righe di quella calli-

affezionarsi a qc. *sein Herz an et. hängen*
negare *leugnen, bestreiten*
sospettoso *argwöhnisch*
ingannare *täuschen*
importanza *f Bedeutung*
di colpo *plötzlich*
bruciare *verbrennen*
caminetto *m Kamin*
esitare *zögern*
valigetta *f kleiner Koffer*
firmato *unterschrieben, gezeichnet*
è vostra la responsabilità *Sie sind verantwortlich*
lettura *f Lesung*
una a una *eine nach der anderen*
circondare *umgeben*
èssere visìbile *(deutlich) zu sehen sein*
sospensione *f* ansiosa *angstvolle Ungewißheit*
tranne *außer*
confessione *f Geständnis*
accasciarsi *zusammenbrechen, verzagen*
chino *gesenkt*
portafogli *m* di cuoio *Ledermappe*
busta *f Umschlag*
recare *hier: aufweisen*
verso *m Rückseite*
retro *m Rückseite*
riga *f Zeile*

grafìa applicata e pesante che De Vincenzi aveva già conosciuta nella lèttera scritta dal maggiore a sua moglie. Flemington sedette. Prese in mano la busta e lesse:

calligrafìa *f Handschrift*
applicato *hier: angestrengt*
pesante *schwer(fällig)*

«Da aprirsi dopo la mia morte, alla presenza delle tre bàmbole e di Douglas Layng, Carin Nolan, Vilfredo Engel, Pompeo Besesti, Mary Alton. La lettura dovrà èssere compiuta in una càmera dell'Albergo delle Tre Rose, in Milano (Italia). Dovrà èsser fatta personalmente dall'avvocato George Flemington, il quale sarà accompagnato e avrà con sé sua moglie Mrs. Diana Flemington.»

alla presenza di *in Gegenwart von*

èssere compiuto *durchgeführt werden*

personalmente *persönlich*

accompagnare *begleiten*

La donna di fiori

di M. Casacci e A. Ciambricco

– Io non volevo uccìderlo... – disse. – Cercavo di avere con Feist una spiegazione, ma lui mi ha riso in faccia... e quando ho tentato di fermarlo mi si è avventato contro... e ha tentato di uccìdermi. È stato lui a sparare per primo! Lui, ve lo giuro. Io ho cercato solo di difèndermi...

– Ti ha sparato, hai detto?! ... – chiese, il colonnello con marcato stupore.

– Sì, mentre ero a terra!... E solo allora io... Ma l'ho fatto per difèndermi.

L'espressione contratta del colonnello lentamente si distese: l'angoscia provocata dalla improvvisa confessione del figlio si scioglieva nella nuova prospettiva che capovolgeva il senso dell'omicidio.

– Naturalmente! – disse e quasi sorrideva. – Ne ero sicuro, Freddy! L'ho pensato fin dal primo momento... – Si volse verso Rosalind – ... E forse, anche tu, ora, puoi rèndertene conto... Non è l'omertà con un assassino, che noi ti chiediamo...

La ragazza appariva incerta, come combattuta tra sentimenti contrastanti.

– Parlate come se fossi un'estrànea, colonnello... Capisco benìssimo i vostri sentimenti, anche se mi è un po' diffìcile condivìderli.

uccìdere *töten*
avere una spiegazione con qu. *mit j-m eine Aussprache haben*
rìdere in faccia *ins Gesicht lachen*
avventarsi contro *sich stürzen auf*
è stato lui a sparare per primo *er hat als erster geschossen*
difèndersi *sich verteidigen*

marcato *betont, nachdrücklich*
stupore *m Erstaunen*

espressione *f (Gesichts-)Ausdruck*
contratto (*v.* contrarre) *verzerrt*
distèndersi *sich entspannen*
provocato *verursacht*
confessione *f Geständnis*
sciògliersi *sich lösen, zergehen*
prospettiva *f Aussicht*
capovòlgere *umkehren*
omicidio *m Mord*
vòlgersi verso *sich wenden zu*
rèndersene conto *sich darüber im klaren sein*
omertà *f Schweigepflicht; hier: Duldung*
che noi ti chiediamo *was wir von dir verlangen*
combattuto tra *hier: hin und her gerissen von*
contrastante *widerstreitend*

estrànea *f Fremde*

condivìdere *teilen*

– Non dubiterai della parola di Freddy! – disse Paula.

– No... Ma devo pur chièdermi perché Rudy... Feist avrebbe tentato di uccìderlo!... Posso anche immaginare i motivi per una discussione accesa, violenta, ma così...

– Ci sono molte altre cose da capire, riguardo a... quell'indivìduo – incalzò Paula. – Non hai sentito cosa ha detto quel poliziotto, poco fa? E non vogliamo che Freddy... la nostra famiglia e tu stessa, siate coinvolti in uno scàndalo... La morte di Feist ci può anche ispirare pietà, ma noi abbiamo *soprattutto* il dovere di difèndere il nostro nome!... E il nostro prestigio!...

– Io sono pronta come voi ad aiutare Freddy... Ma è davvero, questo, il modo migliore per farlo? Ha sparato per difèndersi... Ebbene, se è così il nostro silenzio servirà solo ad aggravare la situazione.

Paula fu come disorientata dalla lògica elementare di quelle parole e toccò al colonnello replicare, sicuro, autorévole più che mai:

– Frederick ha ucciso per legìttima difesa – disse. – La giustizia di Dio e quella degli uòmini lo assòlvono... E la nostra famiglia, nei suoi principi e nelle sue tradizioni, ha tanta forza morale da poter ignorare le formalità della legge! Noi dobbiamo decìdere solo di fronte alla nostra coscienza!

Rosalind abbassò il capo; forse un muto consenso, o forse solo una rassegnata accettazione della volontà del colonnello.

*

non dubitare di *nicht zweifeln an*
pur = pure *nur*
chièdersi *sich fragen*
immaginare i motivi *sich die Gründe denken*
discussione *f Auseinandersetzung*
acceso *erregt*
riguardo a *in bezug auf*
incalzare *drängen*
poco fa *vor kurzem*
coinvòlgere *mit hineinziehen, verwickeln*
ispirare pietà *Mitleid erwecken*
avere il dovere di *verpflichtet sein zu*
prestigio *m Ansehen, Prestige*
èssere pronto *bereit sein*
il modo migliore *die beste Art*
servire solo a *nur dazu dienen*
aggravare la situazione *die Lage erschweren*
disorientato *verwirrt*
toccare a qu. *j-s Sache sein*
replicare *erwidern*
autorévole *gebieterisch*
più che mai *mehr denn je*
uccìdere per legìttima difesa *in Notwehr töten*
assòlvere *freisprechen*
avere tanta forza morale da ... *eine so große sittliche Kraft haben, daß ...*
ignorare *unbeachtet lassen*
decìdere *entscheiden*
di fronte a *gegenüber*
abbassare il capo *den Kopf neigen*
muto consenso *m stillschweigende Zustimmung*
accettazione *f Annahme*

Quando Sheridan giunse al comando di Polizìa trovò Mills ad attènderlo.

– È già arrivato? – chiese il tenente.

– Sì, proprio adesso. Lo ha accompagnato Kid...

I due entràrono nell'ufficio dello sceriffo; Barney era alle prese con un tipo allampanato, di pelle scura come un meticcio.

– Avanti, Markos – stava dicendo lo sceriffo. – Mi ha detto Lucciola che avevi qualcosa di interessante da raccontarci.

L'uomo si era voltato a guardare Sheridan; evidentemente diffidava di quell'estràneo.

– E quello chi è? – chiese.

– Un ufficiale di polizìa. Ti basta?

Markos ostentò un sorriso ùmile.

– Scusàtemi, signore... È che io non voglio fastidi; non voglio che in giro si sappia che io...

– Ti chiami Markos, e sei un pescatore; è così? – chiese Sheridan.

– Sì, signore... ho la licenza in règola.

– Bravo; ma ora dicci tutto quello che sai.

L'uomo ci pensò un momento, come cercasse le parole.

– Ecco... – cominciò. – In giro, ho sentito che ieri notte alla «Vecchia Sorgente» hanno ammazzato un tale...

– Infatti... Più o meno, a cinquanta metri dal pontile...

– E allora ho deciso di dirvi quello che avevo visto!

– Un'òttima decisione – convenne Sheridan.

comando *m* di Polizìa *Polizeibefehlsstelle*
attèndere qu. *auf j-n warten*
accompagnare *begleiten*
sceriffo *m Sheriff*
èssere alle prese con qu. *sich mit j-m herumschlagen*
allampanato *spindeldürr*
meticcio *m Mestize*
voltarsi *sich umdrehen*
diffidare di qu. *j-m mißtrauen*
ufficiale *m* di polizìa *Polizeibeamte(r)*
ostentare un sorriso *ein Lächeln zeigen*
fastidi *m/pl. Unannehmlichkeiten*
che si sappia (*v.* sapere) *daß man erfährt*
in giro *ringsherum; hier: überall*
licenza *f hier: Fischereischein*
in règola *in Ordnung*
dicci (*v.* dire) *sag uns*
pensarci (*sich et.*) *überlegen*
come cercasse *als ob er suchte*
in giro *unterwegs*
ammazzare *umbringen; ermorden*
un tale *jemand*
pontile *m Landungssteg*
deciso (*v.* decìdere) *beschlossen*
convenire *einräumen, zugeben*

– Ecco... Io passavo con la barca ed ho sentito gli spari... Tre spari, ma non ci ho fatto caso... C'è tanta gente che spara, di notte, da queste parti...

– Ed hai visto qualcuno? – chiese impaziente lo sceriffo.

– Sì... Anzi, no... Ecco... voglio dire che, alla «Vecchia Sorgente» non ho visto nessuno... È stato tardi, quando attraccavo al molo pìccolo... È arrivato un motoscafo a tutta velocità e con le luci spente... Ha fatto una virata da pazzi... Io credevo che si sfasciasse contro il pilone... Invece, ce l'ha fatta... Poi, un uomo è saltato a terra e si è messo a córrere... Mi è passato da qui a lì... Correva... L'ho visto bene: aveva la faccia piena di paura... gli occhi grandi così.

– Sapresti riconóscerlo? – chiese il tenente.

– O magari sai già chi è – intervenne a sua volta lo sceriffo.

– Infatti... Era il nipote del colonnello... Ecco... mi pare che si chiami Ronald... Ronald Fuller...

Sheridan guardò lo sceriffo e questi stava già guardando lui.

*

In quel momento Ronald era in compagnìa di Graig e Cilento nella grande sala centrale dell'appartamento che Tony «Mastino» aveva acquistato per sé, fin dal suo arrivo a Lake Town. Un àttico delizioso, con ampia terrazza sul lago, stipata di piante e di fiori fino alla nàusea.

passare con la barca *mit dem Boot vorbeifahren*
sparo *m Schuß*
non farci caso *nicht darauf achten*
da queste parti *in dieser Gegend*
impaziente *ungeduldig*
attraccare *anlegen*
motoscafo *m Motorboot*
a tutta velocità *mit größter Geschwindigkeit*
spento (*v.* spègnere) *abgeblendet*
virata *f Wendung*
sfasciarsi *zerschellen*
pilone *m Brückenpfeiler*
ce l'ha fatta *es hat es geschafft*
saltare a terra *an Land springen*
méttersi a córrere *zu laufen beginnen*
da qui a lì *ganz nahe*
sapere riconóscere *erkennen können*
magari *sogar*
a sua volta *seinerseits*
mi pare *ich nehme an*
questi *dieser*
acquistare *sich beschaffen*
fin dal suo arrivo *schon seit seiner Ankunft*
àttico *m Dachwohnung*
stipato di *gedrängt voll von*
fino alla nàusea *bis zum Überdruß*

Ronald era scuro in volto e sembrava aver perso tutta la sua sicurezza, la sua spavalderìa.

Cilento si versò da bere e venne a sedersi su una poltrona.

– Contìnua! – disse.

– Ha attraccato al vecchio pontile... È saltato a terra e si è incamminato verso il cottage. Era appena scomparso tra le piante e io stavo avvicinàndomi alla riva... quando ho sentito gli spari... Uno e poi ancora due...

– Ti ha visto nessuno, mentre tornavi indietro? – chiese Cilento.

– No. A quell'ora chi vuoi che ci fosse sul lago?

– Già... eppure, amico mio, sembra incredìbile, ma per almeno sette delitti su dieci si è sempre trovato qualcuno che stava lì, a guardare.

Cilento aveva sorriso nel dire così e Ronald tentò di fare altrettanto.

– Ma non da queste parti!

– Meglio per te! – Ci fu una pausa. – E la pistola, dove l'hai messa? – chiese improvvisamente Cilento, piantando lo sguardo in faccia a Ronald.

– Che pistola?!...

– L'hai buttata via?... E magari nel lago; non è così?

Ora Ronald era riuscito a comprèndere dove l'altro intendesse parare.

– Ma di che pistola parli? – reagì.

– Della tua, amico! O preferisci chiamarla «l'arma del delitto»?...

– Ma sei pazzo! Io non sono nemmeno sceso a terra!... te l'ho detto!

Cilento si alzò a fatica dalla poltrona e andò a fermarsi a un passo da Ronald.

èssere scuro in volto *ein finsteres Gesicht machen*

spavalderìa *f Überheblichkeit*

versare da bere *einschenken*

incamminarsi *sich auf den Weg machen*

cottage *m (engl.) Landhaus*

scomparso (*v.* scomparire) *verschwunden*

avvicinarsi alla riva *sich dem Ufer nähern*

a quell'ora *um diese Zeit*

chi vuoi? (*v.* volere) *wen meinst du?*

almeno *mindestens*

stare lì *an Ort und Stelle sein*

nel dire così *indem er das sagte*

tentare *versuchen*

fare altrettanto *dasselbe tun*

piantare lo sguardo in faccia a R. *den Blick auf R. heften*

buttar via *wegwerfen*

riuscire a comprèndere *genau begreifen*

intèndere parare *hinauswollen (auf)*

reagire *reagieren, sich wehren*

preferire *vorziehen, lieber tun*

non ... nemmeno *nicht einmal*

a fatica *mit Mühe*

andare a fermarsi *stehenbleiben*

a un passo da *direkt vor*

– Sì... Me l'hai detto!... – convenne; ma mutò sùbito tono. – Me l'hai detto!... Senti, Fuller! Quando sei venuto da me, un anno fa, a propormi l'acquisto della piantagione, io ti dissi di sì... che l'affare mi andava, perché era un affare che poteva rèndermi milioni di dòllari... Questo, ti dissi... Ma ti dissi anche un'altra cosa... che io, io soltanto, avrei dovuto tenere in mano le rèdini della faccenda, e che si sarebbe dovuto agire sempre e soltanto a modo mio... te lo ricordi questo?

Ronald tentò di resìstere.

– E allora?... Sei stato tu, a dirmi di seguire Feist...

– Sì!... – urlò Cilento – ma non ti ho detto di ammazzarlo!

– E non l'ho ammazzato! Lèvatelo dalla testa!

– Bene, d'accordo... Mi ci son fatto vecchio tra gli innocenti come te!...

Ora Cilento si rivolse a Graig che era rimasto muto e in disparte a godersi la scena.

– Dìglielo, Graig!... Io e te siamo disposti a giurare davanti a dieci tribunali che il signor Fuller ha passato la notte con noi... E possiamo trovarne altri cento disposti a giurare la stessa cosa! – Di scatto fu di nuovo accanto a Ronald per urlargli in viso: – Ma non pretèndere che io ti creda davvero!

– Ma perché lo avrei fatto?... Che ragione avevo di...

– Perché non c'è più un cane che ti faccia crédito – incalzò Cilento. – E hai troppa fretta di méttere le mani sulla tua parte... Ecco perché!...

mutar tono *einen anderen Ton anschlagen*
un anno fa *vor einem Jahr*
proporre *vorschlagen*
acquisto *m Kauf, Erwerb*
piantagione *f Plantage*
che ... mi andava *daß mir ... recht war (hier: wäre)*
rèndere *einbringen*
rèdine *f Zügel*
tenere in mano le rèdini *die Zügel in der Hand haben*
agire *handeln*
a modo mio *nach meinem Willen*
resìstere *Widerstand leisten*
urlare *schreien*
levarsi qc. dalla testa *sich et. aus dem Kopf schlagen*
mi ci son fatto vecchio *ich bin alt geworden*
innocente *unschuldig*
rimasto (*v.* rimanere) *geblieben*
in disparte *abseits, beiseite*
godersi *sich ergötzen*
dìglielo (*v.* dire) *sag es ihm*
èssere disposto a giurare *bereit sein zu schwören*
passare la notte *die Nacht verbringen*
di scatto *plötzlich*
pretèndere *verlangen; sich einbilden*
non ... più un cane *niemand mehr*
far crédito *Kredit geben*
méttere le mani su qc. *die Hand auf et. legen*

– Già... Ma da questo ad ammazzare un uomo...

– Puoi farlo anche per meno, Fuller... Ma se lavori per me; devi farlo solo se te lo dico io! ... *Al momento giusto e nel modo giusto!*

Cilento voltò le spalle e s'allontanò, dirigèndosi verso la terrazza. Ronald si versò ancora da bere e sembrò trarre dal whisky rinnovata energìa.

– Stammi a sentire, Cilento! – disse. – Hai troppa fretta di risòlvere questo caso, regalàndomi un omicidio...

Cilento si voltò a guardarlo fisso, con lo stesso sguardo che avrebbe avuto per un cane ringhioso.

– Che vuoi dire? ... – chiese.

– Hai detto d'èssertene rimasto qui, in càmera tua, tutta la sera... Supponiamo, invece che tu sia uscito dall'albergo, magari dalla porta di servizio... Una corsa in màcchina fino al cottage sul lago e ti metti ad aspettare Feist... Tempo ne hai avuto!... Lui arriva, tu lo ammazzi... sicuro di avere sotto mano, all'occorrenza, un *ingènuo* da consegnare alla Polizìa... Non è così, signor Cilento?!...

Cilento tornò verso Ronald e quando gli fu ad un passo l'afferrò per il bàvero.

– Senti, Fuller... Certe idee divèntano pericolose solo a pensarle. Figùrati quando si commette l'errore di venìrmele a dire in faccia!... – E, per dare maggiore efficacia alle parole, spinse l'altro con tutta la forza del braccio fino a farlo crollare sul divano.

Ronzò il citòfono, due, tre volte; qualcuno avvertì dalla portinerìa che

voltare le spalle *den Rücken wenden*
trarre *gewinnen, schöpfen*
rinnovato *erneut, neu*
stammi (*v.* stare) a sentire! *hör mal zu!*
risòlvere questo caso *diese Angelegenheit erledigen*
regalare *aufbürden, zuschieben*
omicidio *m Mord*
ringhioso *knurrend*
supporre *annehmen*
magari *sogar, vielleicht*
porta *f* di servizio *Eingang für Lieferanten*
corsa *f* in màcchina *Autofahrt*
avere sotto mano *bei der Hand haben*
all'occorrenza *im Notfall*
ingènuo *m Einfaltspinsel*
consegnare *übergeben, ausliefern*
afferrare per il bàvero *am Kragen packen*
solo a pensarle *wenn man bloß an sie denkt*
commèttere l'errore *den Fehler begehen*
di venìrmele a dire in faccia *sie mir ins Gesicht zu sagen*
efficacia *f Wirkungskraft, Nachdruck*
spinse (*v.* spìngere) *er stieß*
far crollare *(hin)fallen lassen*
citòfono *m Sprechanlage*
avvertire *melden*
portinerìa *f Portierloge*

stava salendo lo sceriffo e che c'era un altro poliziotto con lui.

Cilento ebbe un gesto che fu un'imprecazione. Ma la sua reazione fu tutta lì; sembrava di nuovo calmo.

– Lasciate fare a me! ... – disse.

Ronald era scattato in piedi; si guardava attorno smarrito, incapace di prèndere una decisione.

– Io... io me ne vado... – balbettò.

– E perché?... – chiese Cilento, marcando il tono irònico. – Sei innocente no!... Aspetta di là! In càmera mia... e pòrtati via il bicchiere!

Ronald annuì; il consiglio di Cilento gli sembrò òttimo; del resto, era l'ùnica cosa che potesse fare: nascóndersi. Si precipitò verso la càmera da letto, chiudèndosi la porta alle spalle.

Quando Sheridan e lo sceriffo entràrono, dall'atteggiamento cordiale e niente affatto sorpreso del padrone di casa, capìrono che il loro arrivo era stato preannunciato. Cilento non si mosse dalla poltrona nella quale s'era comodamente adagiato, whisky in una mano e sìgaro nell'altra.

– Salve, tenente!... – disse con un bel sorriso allargato. – Non speravo di rivedervi così presto!

– Beh, uno come voi... mèrita sempre un'attenzione particolare – rispose sullo stesso tono Sheridan. – Avete un nome famoso, nel vostro mestiere...

– Quasi quanto il vostro...

– Ma in tutt'altro mestiere.

Cilento rise e gli venne in mezzo anche un colpo di tosse.

– Ma no! ... – disse. – Tempo passato, ormai. Non c'è rimasto più niente del

imprecazione *f* *Fluch*
la sua reazione fu tutta lì *seine Reaktion war verpufft*
scattare in piedi *aufspringen*
smarrito *verwirrt*
balbettare *stottern*
di là *drüben* (*im anderen Zimmer*)
annuire *nicken*
del resto *im übrigen*
nascóndersi *sich verstecken*
precipitarsi (*sich*) *stürzen*
atteggiamento *m Haltung*
niente affatto *ganz und gar nicht*
sorpreso (*v.* sorprèndere) *überrascht*
preannunciare *ankündigen*
non si mosse (*v.* muòversi) (*er*) *rührte sich nicht*
adagiarsi *sich hinstrecken*
sorriso *m* allargato *hier: breites Lächeln*
meritare *verdienen*
attenzione *f* particolare *besondere Aufmerksamkeit*
mestiere *m Beruf*
venire in mezzo *dazwischenkommen*
colpo *m* di tosse *Hustenanfall*
tempo passato, ormai *das ist jetzt vorbei*

vecchio «Mastino»!... Èccomi qua: un buon borghese come tanti altri... Qualche pìccolo affare quando càpita...

– E se càpita anche qualche grosso affare ... diciamo «Lake Garland»... per esempio!

Il tenente era venuto al sodo troppo presto e Cilento cercò di prèndere respiro.

– Ma prego ... sedete! Non vorrete restare in piedi! ... – disse.

Solo lo sceriffo sedette e non fu per caso se scelse una sedia che gli consentiva di tenere d'occhio sia Cilento che il suo tirapiedi.

– «Lake Garland»? ... – riprese Cilento – Sì ... sarebbe un òttimo affare... Peccato, che il vecchio Fuller non ne voglia sapere di véndere...

Sheridan continuava a muòversi qua e là nella stanza, osservando distrattamente quanto gli capitava sottocchio.

Né a voi, né alla «Berkshire Building» – disse, marcando – ... una concorrente molto pericolosa... – Poi si rivolse allo sceriffo. – Feist lavorava per Berkshire... o mi sbaglio?

– Sì... – rispose Barnay – èrano soci o qualcosa del gènere...

Cilento guardò Sheridan con l'occhio tènero di chi incontri un amico in disgrazia.

– Volete farmi intèndere, tenente, che mi sospettavate dell'uccisione di Feist... solo perché era un mio concorrente?...

– Sospettare di voi? ... Ma no, signor Cilento... non potrei farvi un

capitare *sich bieten*

venire al sodo *zur Sache kommen*
prèndere respiro *hier: Zeit gewinnen*

non èssere per caso *kein Zufall sein*
scégliere *wählen*
consentire *erlauben*
tenere d'occhio *im Auge behalten*
sia ... che *sowohl ... als auch*
tirapiedi *m Helfershelfer*

non volerne sapere di véndere *nichts von einem Verkauf wissen wollen*
qua e là *auf und ab*
distratto *zerstreut*
quanto *(alles) was*
sottocchio *vor Augen*

sbagliarsi *sich irren*

qualcosa del gènere *etwas Ähnliches*
con l'occhio tènero *mit sanftem Blick*
in disgrazia *im Unglück*

far intèndere *zu verstehen geben*
sospettare qu. di qc. *j-n einer Sache verdächtigen*

sospettare di qu. *Verdacht gegen j-n haben*

sìmile torto... un omicidio troppo banale... direi, troppo grossolano per un uomo della vostra classe!

– Grazie!

– Tuttavìa, anche voi, come il signor Berkshire, avete un socio... Ronald Fuller, mi pare...

Un socio un po' particolare... ma è così... – ammise Cilento. – Fu lui a propormi l'acquisto di Lake Garland.

– Appunto... E io vorrei fargli qualche domanda... al signor Fuller...

Una sfumatura di disagio, ma così lieve che solo l'occhio esperto di Sheridan riuscì a cògliere. Fu come se Cilento avesse improvvisamente avvertito la presenza di un sassolino a tre punte proprio lì, sul sedile della sua poltrona.

– È passato di qui un'ora fa... ma non so dove potreste trovarlo ora... – disse.

Ci fu una pausa, poi Sheridan disse soltanto:

– Peccato!

– Ma se posso èsservi ùtile io... Dipende dalle domande.

– Fondamentalmente... una sola domanda: dove è stato ieri sera, diciamo dalle dieci a mezzanotte...

– Ronald?... Se è solo questo che volete sapere, posso...

Adesso fu la volta di Sheridan a ricambiare l'occhiata tènera di poco prima.

– Attento, Mastino! Ora tocca a voi a non farmi torto.

– Già... – ammise l'altro – se rivolgete proprio a me una sìmile domanda, è perché avete già la risposta...

fare un torto a qu. *j-m ein Unrecht zufügen*
grossolano *grob*
mi pare (*v.* parere) *ich glaube*
particolare *außergewöhnlich*
ammèttere *zugeben*
appunto *eben* (*deshalb*)
sfumatura *f Nuance; hier: Hauch*
disagio *m Unbehagen*
riuscire a cògliere *aufnehmen können*
avvertire *bemerken*
sassolino *m Steinchen*
punta *f Spitze, Zacke*
proprio *ausgerechnet*
sedile *m Sitz*
passare di qui *hier vorbeikommen*
dipèndere da qc. *auf et. ankommen*
fondamentalmente *im Grunde*
adesso fu la volta di S. *nun kam die Reihe an S.*
ricambiare *erwidern*
rivòlgere una domanda a qu *eine Frage an j-n richten*
perché *weil*

– Appunto.

– Sì... Ieri sera Ronald ha seguito Feist quando ha lasciato l'albergo... fino al pontile della «Vecchia Sorgente»... con un motoscafo... Stava per scéndere a terra anche lui, quando ha sentito gli spari... ed è tornato indietro... Che altro poteva fare? Méttersi a caccia di un eventuale assassino? Troppo pericoloso, in quelle circostanze... pericoloso in tutti i sensi.

– C'era una ragione particolare, perché il signor Fuller seguisse Feist? – chiese lo sceriffo.

– Sì... Feist era un concorrente temìbile, lo avete detto voi stesso un momento fa... e, quando gli avevo proposto di collaborare con me, mi aveva risposto... che non avrebbe diviso il «piatto» con un poker in mano... Esattamente, come vi ha riferito il barman, ieri sera...

– Non è un po' poco per decìdere di far pedinare un uomo? – chiese Sheridan.

– No, non era solo un bluff... Ho visto anch'io il fattorino dell'albergo consegnargli quella lèttera... Lui ha cambiato faccia e ha piantato il gioco a metà... Ho voluto vederci chiaro... Per questo, ho detto a Fuller di stargli vicino e di non pèrderlo d'occhio...

Il tenente aveva continuato a passeggiare per la stanza ed ora si trovava ad un passo dalla porta della càmera da letto. Si fermò e piantò su Cilento uno sguardo, indagatore.

– E voi siete rimasto qui ad aspettare, naturalmente.

seguire *folgen*

stare per *im Begriff sein zu, gerade wollen*

che altro ...? *was ... noch?*

méttersi a caccia di *Jagd machen auf*

in tutti i sensi *in jeder Hinsicht*

temìbile *zu fürchtend*

un momento fa *soeben*

collaborare *zusammenarbeiten*

piatto *m Einsatz*

riferire *berichten*

pedinare qu. *j-n beschatten*

fattorino *m Laufbursche*

cambiar faccia *bleich werden*

piantare il gioco a metà *alles stehen- und liegenlassen*

pèrdere d'occhio *aus den Augen verlieren*

indagatore *forschend*

– Ed io sono rimasto qui ad aspettare.

– Vi ringrazio. Ma sarà opportuno che Ronald Fuller venga a confermare quanto mi avete detto...

Cilento capì che quei due stàvano per andàrsene: il sassolino sul sedile della poltrona sparì di colpo.

– State tranquillo... – disse – lo avvertirò io stesso... Appena lo vedrò...

– Grazie... ma credo proprio che non occorra... – disse Sheridan sorridendo e, voltàtosi, aprì di scatto la porta che era alle sue spalle. Poi, parlando verso l'interno della càmera, aggiunse:

– Venite fuori, Fuller... Ora tocca a voi!

Pàllido per lo smacco subito, Cilento si era alzato.

– Stai esagerando, tenente! – disse fra i denti.

Anche lo sceriffo era in piedi e Cilento se lo sentì alle spalle, pronto ad intervenire.

Passò qualche àttimo, poi nel vano della porta apparve la figura di Ronald. L'uomo avanzò fissando Cilento; il suo sguardo era càrico d'odio.

– No, non è stato il vostro amico a tradirvi – precisò Sheridan. – La cosa è molto meno drammàtica! Il portiere mi ha detto che vi aveva visto salire.

opportuno *angebracht, zweckmäßig*
confermare *bestätigen*
capì *hier: (er) dachte*
sparire di colpo *plötzlich verschwinden*
state tranquillo *seien Sie unbesorgt*
appena lo vedrò *sobald ich ihn sehe*
proprio *eigentlich*
occórrere *nötig sein*
aggiùngere *hinzusetzen*
subire uno smacco *eine Niederlage erleiden*
esagerare *übertreiben*
intervenire *eingreifen*
vano *m* della porta *Türöffnung*
apparire *erscheinen*
avanzare *vorwärts gehen*
càrico di odio *haßerfüllt*
tradire *verraten*
precisare *genau angeben*

Lunedì, muore Verònica

di Geri Trotta

Pregando Dio di trovare in casa Marian Colwell, feci le scale di corsa. Avevo un disperato bisogno di qualcuno a cui rivòlgermi, di qualcuno che capisse sùbito il mio racconto incoerente, così come lo dicevo. Bozzie era naturalmente fuor di questione. Lo stesso dìcasi di Louie e tutti gli altri miei amici per il fatto che nessuno di loro conosceva Tom, e quelli che non mi avévano vista in quegli ùltimi giorni non avrèbbero mai potuto capire perché fossi stata sconvolta.

Dal pianeròttolo di sotto potevo vedere che la porta era tenuta aperta dalla canna di bambù, il che significava che Anna, almeno, era in casa e che la sua padrona, anche se non era in casa, sarebbe tornata per il pranzo.

Marian stessa rispose alla mia sonata. Agitata com'ero, notai lo stesso che stava bene con l'àbito di seta azzurro fiordaliso che si accompagnava al colore dei suoi occhi. Forse appariva un po' sciatta, ma appunto per questo era elegante sul serio.

– Oh, buon giorno, Katy – mi disse cordialmente. – Venite avanti. Voglio farvi conóscere un vecchio amico.

– Grazie, Marian. – Esitai un momento. – Marian potrei vedervi da sola per alcuni minuti? – La chiamai per nome quasi senza accòrgermene. Era inevitàbile, data l'urgenza del momen-

fare le scale *die Treppe hinaufsteigen*
di corsa *schnell*
disperato *verzweifelt*
rivòlgersi a qu. *sich an j-n wenden*
incoerente *unzusammenhängend*
dire *hersagen, vorbringen*
èssere fuor(i) di questione *nicht in Frage kommen*
lo stesso dìcasi di *dasselbe gilt für*
per il fatto che *da, weil*
non avrèbbero mai potuto capire *sie hätten nie begreifen können*
sconvolto *erschüttert, verstört*
pianeròttolo *m Treppenabsatz*
canna *f* di bambù *Bambusrohr*
il che *was*
almeno *wenigstens*
padrona *f Herrin*
pranzo *m Mittagessen*
sonata *f Klingeln*
agitato *aufgeregt*
notai lo stesso *ich bemerkte dennoch*
stare bene *hier: gut aussehen*
azzurro fiordaliso *kornblumenblau*
accompagnarsi a *passen zu*
sciatto *nachlässig*
appunto per questo *eben deshalb*
sul serio *wirklich*

far conóscere (qu. a. qu.) *bekannt machen (j-n mit j-m)*
esitare *zögern*
vedere da sola *allein sprechen*
nome *m Vorname*
accòrgersene *es merken*
inevitàbile *unvermeidlich*
data l'urgenza *bei der Dringlichkeit*

to, e sapevo che non se ne sarebbe risentita.

– Cosa vi succede, piccina? – mi chiese dolcemente. – Avete l'aria di uno che ha visto uno spettro. Sì, certo, potete parlarmi da sola. Eustace sta per andàrsene, ma non volete prèndere una tazza di tè con noi, prima? Credo che vi farà bene.

– Sì, volentieri – risposi mentre lei mi faceva entrare nel suo esòtico salotto dove, sprofondata nel divanetto, stava la flàccida forma dello sfèrico signor Beebe.

Questi si levò immediatamente in piedi. – Che piacévole sorpresa, signorina Trent! Come state?

– Dico! – esclamò Marian veramente sorpresa. – Non immaginavo davvero che voi due poteste conóscervi.

– Ci siamo conosciuti ieri – spiegai.

– Proprio così – disse a sua volta Eustace. – Ci siamo incontrati per caso al posto di polizìa, e ho avuto il piacere di divìdere il mio tassì con la signorina Trent.

– Vedo – disse Marian piuttosto freddamente. – Ma cosa mai facevate al posto di polizìa, Katy?

– Ma ve l'avevo detto! Non vi ricordate? Mercoledì mentre pranzavamo dissi che volevo dire alla polizìa del marinaio che avevo visto entrare nella casa di fronte lunedì sera.

– Oh, sì, certo. M'era sfuggito di mente. Eustace, mio caro, siate un àngelo e chiamate Anna, volete? Il campanello è accanto a voi. Sì, grazie, quello d'argento. Ma sedétevi. – Mi fece accomodare in una delle sue orri-

risentìrsene *es übelnehmen*
cosa vi succede? *was ist los mit Ihnen?*
aver l'aria di *aussehen wie*
spettro *m Gespenst*
stare per andàrsene *gerade weggehen wollen*
far entrare *eintreten lassen*
esòtico *exotisch*
sprofondato *eingesunken*
la flàccida forma *die schlaffe Gestalt*
sfèrico *kugelrund*
levarsi in piedi *aufstehen*
piacévole sorpresa *f angenehme Überraschung*
immaginare *annehmen*
non immaginavo davvero *ich hätte ganz gewiß nicht gedacht*
spiegare *erklären*
a sua volta *seinerseits*
per caso *zufällig*
posto *m* di polizìa *Polizeiwache*
avere il piacere *das Vergnügen haben*
divìdere *teilen*
piuttosto *ziemlich*
ricordarsi *sich erinnern*
marinaio *m Matrose*
di fronte *gegenüberliegend*
sfuggire di mente *entfallen*
siate un àngelo *seien Sie so nett*
campanello *m Klingel*
accanto a qu. *neben j-m*
argento *m Silber*
sedétevi (*v.* sedersi) *nehmen Sie Platz*
accomodarsi *Platz nehmen*

bili poltrone, poi prese posto accanto a Eustace. – Anna vi porterà del tè fresco, Katy. Noi l'abbiamo già preso.

– Sì – soggiunse Eustace. – Con mio grande dispiacere debbo lasciarvi, mie graziose signore. – Levò dalla tasca del panciotto un orologio d'oro stile rococò. – Le sei meno venti! Già così tardi! Il mio aèreo parte alle sette e debbo andare in albergo a prèndere le valige.

Anna apparve silenziosamente. Le sorrisi e la salutai con un cenno del capo, ma lei mi rispose appena. Mentre Marian le diceva di portare tè, burro e fettine di pane molto sottili, Eustace cianciava dei suoi affari che, diceva, èrano stati deplorabilmente negletti in quegli ùltimi giorni. Lo ascoltavo con la maggiore attenzione possìbile, date le circostanze, ma avrei voluto gettargli il cappotto e il cappello e farlo rotolare fuori della stanza. Sopra ogni altra cosa al mondo desideravo una forte spalla su cui versare le mie làcrime, ed Eustace Beebe non era il tipo d'uomo al quale desideravo ardentemente di confidarmi. Per fortuna, dopo cinque minuti, ci salutò mormorando molto dolcemente il desiderio di rivedermi presto, e Marian l'accompagnò alla porta.

Nel tornare in salotto, Marian incontrò Anna che mi portava il tè, le tolse di mano il vassoio e mi servì lei stessa. – Ora, Katy, non una sola parola, finché non avrete bevuto tutta la vostra tazza. – Chiuse la porta e venne a sedersi accanto a me. – E saremo proprio sole. Nessuno vi sentirà.

poltrona *f Lehnstuhl, Sessel*
soggiùngere *hinzufügen*
con mio ... dispiacere *zu meinem ... Bedauern*
debbo (*v.* dovere) *ich muß*
levare dalla tasca *aus der Tasche ziehen*
panciotto *m Weste*
aèreo *m Flugzeug*
andare a prèndere *holen*
apparve (*v.* apparire) (*sie*) *erschien*
cenno *m* del capo *Kopfnicken*
appena *kaum*
fettina *f* di pane *Brotschnittchen*
sottile *dünn*
cianciare *schwatzen*
deplorabilmente *bedauernswert*
negletto (*v.* neglìgere) *vernachlässigt*
con la maggiore attenzione possìbile *mit der größtmöglichen Aufmerksamkeit*
date le circostanze *unter diesen Umständen*
rotolare *rollen*
spalla *f Schulter*
versare làcrime *Tränen vergießen*
confidarsi *sich anvertrauen*
salutare qu. *j-n grüßen; hier: sich von j-m verabschieden*
mormorare *murmeln, flüstern*
nel tornare *als sie zurückkam*
tògliere di mano *aus der Hand nehmen*
vassoio *m Tablett*
bere tutto *austrinken*
venire a sedersi *sich hinsetzen*
proprio *wirklich, ganz*

– Marian – dissi non riuscendo più a trattenermi. – È successa la cosa più orrìbile. Tom è stato arrestato. Tom de Vault.

– Tom? Non posso créderci. E perché?

– È così. È orrìbile. Non può averlo fatto. Non può averla uccisa.

– Uccisa chi?

– Verònica Kind.

– Che idea assurda!

– Vero? La polizìa non è di questo parere. Be', dìcono che sia un testimonio necessario. Ed è tutta colpa mia.

– Katy, cercate di spiegarvi meglio. Ora, per piacere, cominciate dal principio e dìtemi tutto quel che è successo e perché vi sentite in colpa.

– Tenterò. Ho detto alla polizìa che avevo visto il marinaio dalla mia finestra e che una mattina l'avevo visto prèndere il sole sul tetto con Verònica. Ma mi voltava la schiena e perciò non l'avevo mai visto di faccia in pieno giorno.

– Sì, andate avanti.

– Il tenente che si òccupa del caso, il signor Mulrooney, mi chiese se credevo di poter riconóscere quell'uomo. Questo è stato ieri quando ho incontrato il signor Beebe. Oggi il tenente Mulrooney mi ha telefonato per chièdermi di èssere al posto di polizìa per le quattro e mezzo. Quando vi giunsi mi fécero aspettare dieci minuti, poi spalancò la porta di una stanza dove c'èrano cinque, tutti con la schiena rivolta verso di me e tutti nudi fino alla cìntola, e vestiti nello stesso modo, con un fazzoletto rosso

non riuscire più a *nicht mehr können*
trattenersi *sich beherrschen*
arrestare *verhaften*
non créderci *nicht daran glauben*
ucciso (*v.* uccìdere) *getötet*
assurdo *unsinnig*
vero? *nicht wahr?*
non èssere di questo parere *nicht dieser Meinung sein*
be' *na*
testimonio *m Zeuge*
è tutta colpa mia *ich bin an allem schuld*
spiegarsi *sich ausdrücken*
dal principio *von Anfang an*
sentirsi in colpa *sich schuldig fühlen*
tenterò *ich will es versuchen*
prèndere il sole *sich sonnen*
tetto *m Dach*
voltare la schiena *den Rücken zukehren*
in pieno giorno *am hellen Tage*
andare avanti *fortfahren*
occuparsi di *sich beschäftigen mit*
riconóscere *(wieder)erkennen*
vi giunsi (*v.* giùngere) *ich kam dort an*
far aspettare *warten lassen*
spalancare *weit aufreißen*
schiena *f Rücken*
rivolto (*v.* rivòlgere) *zugewandt*
cìntola *f Taille; Hüfte*
nello stesso modo *in gleicher Weise*
fazzoletto *m Tuch*

intorno al collo, un paio di pantaloni di tela e un berretto da marinaio.

– Vedo. Immàgino che l'uomo che avete indicato era Tom de Vault.

– Sì. Non so dirvi quel che provai. Fu come se mi avéssero dato un pugno in faccia. Era una cosa così inaspettata. Non so come non sia svenuta, forse perché non sono mai svenuta in vita mia.

– Pòvera piccina. Non mi sorprende che siate tanto sconvolta. Volete molto bene a Tom, vero?

– Sì – risposi – gli voglio tanto bene. Marian, credete veramente che l'abbia uccisa lui?

– Che posso dire, Katy? A pensarci bene, nessuno di noi conosce molto. Però se ciò può èsservi di conforto, devo sinceramente ammèttere che non credo che l'abbia uccisa. Dìtemi, avete potuto parlargli?

– Sì. Per cinque minuti. Il tenente Mulrooney capì sùbito che lo conoscevo. È stato molto cortese, davvero. Appena gli altri funzionari della polizìa se ne andàrono mi fece sedere ad uno dei tàvoli del suo ufficio per parlare con Tom, mentre ci stava a guardare dall'altro lato della stanza. Di più non poteva fare. Doveva arrestare Tom come testimonio necessario, ma fece in modo da rimandare di dieci minuti il suo arresto. Una volta che una persona è arrestata nessuno può parlargli. Così è la legge. Prima non lo sapevo.

– Neanch'io. Ma che spiegazioni vi ha dato Tom?

intorno al collo *um den Hals*
paio *m* di pantaloni *Hose*
tela *f Leinen*
berretto *m Mütze*
provare *empfinden*
come se mi avéssero dato *als ob man mir ... versetzt hätte*
pugno *m Faustschlag*
inaspettato *unerwartet*
svenire *in Ohnmacht fallen*
sorprèndere *wundern*
voler bene a qu. *j-n gern haben*
a pensarci bene *wenn ich es mir genau überlege*
èssere di conforto *zum Trost gereichen*
ammèttere *zugeben*
avete potuto parlargli? *haben Sie ihn sprechen können?*
cortese *höflich*
appena *sobald*
funzionario *m* della polizìa *Polizeibeamte(r)*
andàrsene *(weg)gehen*
ci stava a guardare *er beobachtete uns*
lato *m Seite*
fare in modo *es einrichten*
rimandare *aufschieben*
una volta che *wenn erst einmal*
prima *früher, vorher*
neanch'io *ich auch nicht*
spiegazione *f Erklärung*

– Ha ammesso di conóscere Verònica Kind e di èssere l'uomo che di sòlito vedevo con lei dalla mia finestra. Ma giura di non averla uccisa.

– Può èssere – disse Marian con aria pensosa. – Pure, se è innocente, perché non si è presentato quando ha detto che la polizìa lo ricercava per interrogarlo?

– Non capite? Si rese conto di èssere la persona più sospetta, perché era andato a trovare Verònica Kind la sera in cui è stata strangolata. Solo che insiste che era già morta quando la vide. Avévano litigato. Lei si era stancata di lui e l'aveva liquidato. Ammette anche questo. Le aveva telefonato per dirle di vedersi sui gradini. Lei gli aveva risposto che forse l'avrebbe fatto e forse no. A quanto pare sapeva èssere una strega se voleva.

– Come ogni donna – disse in tono brusco Marian.

– A ogni modo – continuai – egli corse a casa sua. Quando non la vide fuori ad aspettarlo e si accorse che c'era la luce accesa nel suo appartamento, vi entrò.

– E chi lo fece entrare se la ragazza era già strangolata?

– Lei teneva una chiave sotto lo stuoino.

– Anche in questa generazione? Sembra incredìbile.

– Ma è vero. Tom pensò che era meglio stare alla larga nella speranza che la polizìa risolvesse il caso prima di rintracciarlo. Tutto era così complicato. Tom era appena stato congedato dalla Marina. Non era affatto un

di sòlito *gewöhnlich*
giurare *schwören*
con aria pensosa *mit nachdenklicher Miene*
innocente *unschuldig*
presentarsi *sich melden*
ricercare qu. *nach j-m suchen*
interrogare *vernehmen, verhören*
rèndersi conto di qc. *sich über et. klar sein*
sospetto *verdächtig*
andare a trovare *besuchen*
strangolare *erwürgen*
insistere *dabei bleiben*
litigare *streiten*
stancarsi *überdrüssig werden*
liquidare qu. *hier: mit j-m Schluß machen*
gradino *m Stufe*
a quanto pare *anscheinend*
strega *f Hexe*
brusco *barsch*
continuare *fortfahren*
accòrgersi *merken*
c'era la luce accesa *das Licht brannte*
stuoino *m Fußmatte*
incredìbile *unglaublich*
stare alla larga *aus dem Wege gehen*
risòlvere il caso *den Fall lösen*
rintracciare *auffinden, aufspüren*
congedare *entlassen*
non ... affatto *gar kein*

marinaio della marina mercantile. Quegli èrano àbiti coi quali prima della guerra andava in barca. E aveva affittato un appartamento in questa casa per èssere vicino a Verònica. Nel frattempo, in attesa di entrare nel suo appartamento, aveva una pìccola càmera mobiliata nella Sessantanovésima Strada Est. Un suo commilitone l'aveva affittata per un altro amico, la cui nave però attraccò a Norfolk invece che a Nuova York, così permise a Tom di prènderla lui. Era già stata affittata sotto il nome dell'altro uomo e Tom non si era curato di dare il suo. Veramente lui voleva dirlo alla padrona di casa, ma Verònica gli chiese di non farlo. Adorava i misteri e gli intrighi e le piaceva che Tom fosse in incògnito. Inoltre aveva detto che suo marito era in città ed era geloso come un dragone, quindi era meglio che Tom se ne stesse nascosto. Tom ammise che era una cosa priva di senso comune, ma non aveva poi nessuna importanza. Dato che non sarebbe rimasto in quella càmera che per un paio di mesi, poteva fare anche a modo suo. Sembrava una cosa innocente e lei ne era entusiasta.

– Mmmm... Una storia piuttosto strana. Non sono sicura di crédervi. E per la posta... Come faceva a ricévere la posta?

– Tom mi ha spiegato anche questo. Per le prime settimane, mentre era ancora in servizio, i suoi amici sapévano che potévano trovarlo in cantiere. E di quelli che non èrano suoi amici non se ne curava. Crede che forse sia stato il marito di Verònica a uccìderla. Qual-

marina *f* mercantile *Handelsmarine*
affittare *mieten*
nel frattempo *inzwischen*
attesa *f Wartezeit*
commilitone *m Kamerad*
la cui nave *dessen Schiff*
attraccare *anlegen*
perméttere *erlauben*
curarsi di *sich kümmern um*
padrona *f* di casa *(Haus-)Wirtin, Zimmervermieterin*
chièdere a qu. *j-n bitten*
adorare *abgöttisch lieben*
piacere a qu. *j-m gefallen*
inoltre *außerdem*
geloso *eifersüchtig*
stàrsene nascosto *versteckt bleiben*
una cosa priva di senso comune *etwas Unvernünftiges*
non avere nessuna importanza *keine Bedeutung haben*
dato che *da*
non ... che *nur*
fare a modo suo *nach ihrem Wunsch handeln*
entusiasta *begeistert*
piuttosto strano *ziemlich seltsam*
èssere in servizio *Dienst haben*
cantiere *m Werft*
marito *m Ehemann*

cuno l'ha fatto, questo è certo. E Tom giura che non è stato lui.

– Forse è stato il marito. La gelosìa è motivo molto forte. Ma, dìtemi, cosa vi rende tanto sicura che Tom è innocente?

– Forse sono sentimentale. Ma so che non ha ucciso Verònica. Lo so. Non che creda che non ne sia capace. Forse sotto certe circostanze tutti pòssono èssere degli assassini. Non credo che lui abbia avuto un motivo tanto forte da spìngerlo al delitto. Dapprima credevo che fosse stato il marinaio, lo ammetto, ma prima che scoprissi che lui e il marinaio èrano la stessa persona. Non conoscevo il marinaio. Ma conosco Tom. E, lo ripeto, non credo che avesse un motivo sufficiente.

– Non avevamo detto che la gelosìa è motivo molto forte? Tom ha ammesso che Verònica si era stancata di lui.

– Ma è così. Chiunque ami una donna al punto di uccìderla per gelosìa, dopo è disperato d'averlo fatto. Tom, invece, non sembrava molto dispiaciuto della sua morte.

– Credo che abbiate ragione – ammise Marian.

– Ma come sono stata stùpida! – esclamai all'improvviso fissando il vuoto dinanzi a me. – Come mai non ci ho pensato prima? È così sémplice e spiega tutto.

questo è certo *das steht fest*
gelosìa *f Eifersucht*
motivo *m Motiv*
rèndere tanto sicuro *so sicher machen*
non che creda *es ist nicht so, daß ich glaube*
èssere capace *imstande sein*
spìngere *treiben*
delitto *m Verbrechen*
dapprima *zuerst*
scoprire *entdecken*
ripètere *wiederholen*
sufficiente *ausreichend*
amare al punto di ... *so sehr lieben, daß ...*
disperato *verzweifelt*
dispiaciuto di *betrübt über*
aver ragione *recht haben*
esclamare *ausrufen*
all'improvviso *plötzlich*
come mai? *wieso?*
pensarci *daran denken*

Il mistero delle tre orchidee

di A. De Angelis

«Signora, vostro fratello alle tre di oggi mi ha telefonato per pregarmi di recarmi da lui... Voleva rivelarmi qualcosa che mi aveva taciuto. Sapete di che cosa si trattava?»

Anna Sage scosse il capo.

«Mi ha detto soltanto di èssersi ricordato di un particolare della sua vita che poteva avere interesse e che doveva collegarsi a quanto era avvenuto nella Casa di Mode di sua moglie.»

«Vi ha detto proprio così?»

«Press'a poco. Edward aveva appena terminato di parlare con... quella donna, che era venuta a trovarlo, ed era turbato... Vi ho detto che la amava... tanto turbato, da non saper più quel che si dicesse. Ha pronunciato più volte la parola orchidea... e sogghignava...»

Gli occhi di De Vincenzi brillàrono. Stava sulla soglia del salone e dominava le persone raccolte in gruppo davanti a lui. Anna Sage gli stava accanto e Cristiana rimaneva seduta contro la parete.

«Il particolare di cui voleva parlarmi si riferiva dunque a una orchidea?»

«Oh! come vi sembra possìbile? Vi dico che le sue parole non avévano senso...»

«Sapete, signora, che cosa sua moglie era andata a dirgli?»

«Sì...»

orchidea *f Orchidee*
recarsi da *sich begeben zu*
rivelare *offenbaren*
tacere *verschweigen*

scuòtere il capo *den Kopf schütteln*

particolare *m Einzelheit*

collegarsi a *in Zusammenhang stehen mit*
quanto *das, was*
avvenire *sich ereignen*
press'a poco *ungefähr*

venire a trovare *besuchen*

turbato *verwirrt, aufgeregt*

sogghignare *grinsen*

brillare *glänzen*
soglia *f Schwelle*
dominare *überblicken*
accanto *neben*

parete *f Wand*

riferirsi a *sich beziehen auf*

andare a dire *mitteilen*

«Ebbene?...»

«Oh, quella donna è un'àbile commediante! Era venuta a dirgli d'èsser pronta a seguirlo... Aveva deciso di partire con lui, purché la portasse lontano e... sùbito... Un tranello, naturalmente, per attirarlo di nuovo in questa casa!»

«Aspettate!...»

Chiamò l'agente che era nell'anticàmera.

«Va' al secondo piano... Fa' scéndere con te Verna Campbell... la cameriera... Condùcimela qui... Presto!...» Si volse di nuovo ad Anna Sage: «E vostro fratello è venuto in questa casa? Perché? E come mai, dopo un sìmile colloquio, ha telefonato a me per dirmi di andare da lui?»

«È stato dopo quel colloquio, che lui ha ricordato... il particolare che v'ho detto... Ha avuto come una rivelazione. Ha dato un balzo e ha cominciato a dissennare, nominando l'orchidea... Poi ha telefonato a voi... Io l'ho lasciato per tornare nella mia càmera e poco dopo me lo sono visto apparire dinanzi. Mi ha detto allora che sarebbe venuto qui, e mi ha raccomandato di dirlo a voi nel caso che non lo avessi veduto tornare dopo mezz'ora...»

Dal corridoio veniva Verna Campbell. Arrivò all'altezza della porta sulla quale era De Vincenzi e si fermò.

«Signorina Campbell, voi avete accompagnato la signora O'Brian all'Albergo Palazzo?»

Verna s'irrigidì.

«Vi ho detto di chièderlo a lei!»

àbile *geschickt*
pronto a *bereit zu*
seguire *folgen*
purché *wenn nur*
tranello *m Falle*
attirare *locken*
anticàmera *f Vorzimmer*
far scéndere con sé qu. *j-n mit herunterbringen*
cameriera *f Zofe*
condùcimela (*v.* condurre) *bringe sie zu mir*
vòlgersi a qu. *sich j-m zuwenden*
di nuovo *wieder*
colloquio *m Unterredung*
rivelazione *f Offenbarung*
dare un balzo *aufspringen*
dissennare *verrückt werden*
poco dopo *kurz darauf*
me lo sono visto apparire dinanzi *ich sah ihn vor mir auftauchen*
raccomandare *empfehlen*
altezza *f* della porta *hier: Türschwelle*
irrigidirsi *sich versteifen, erstarren*
chièdere a qu. *j-n fragen*

«Me lo avete detto, infatti. Ma adesso desìdero che siate voi a rispóndermi. E vi avverto che il momento è troppo grave, perché voi mi facciate pèrder tempo con le vostre reticenze. La vostra padrona si trova sotto accusa di assassinio. Ve lo dico, perché vi rendiate conto della responsabilità a cui andate incontro e dei perìcoli che voi stessa correte.»

La donna impallidì un poco; ma non sembrò intimorita. Fu con ironìa che disse:

«Valerio non valeva la pena che la signora si mettesse nei guai... E del resto!»

«Chi vi ha detto che è stata lei a uccìdere Valerio?»

«Non è stata? Che cosa volete sapere, allora? Ragioni per uccìderlo non ne aveva!...»

«Come lo sapete voi?»

Alzò le spalle.

«Insomma, fàtemi domande precise, vi risponderò. Sì, ho accompagnato la signora all'Albergo Palazzo. È stata lei che lo ha voluto. E poi?»

Da quando era apparsa Verna Campbell, Cristiana si era tolta dalla sua immobilità. Fissava la ragazza e a De Vincenzi sembrò che molta della sua indifferenza fosse scomparsa.

«Che cosa ha fatto la signora?»

«Ha chiesto di mister Bolton e ha parlato con lui.»

«Voi eravate presente?»

«Ero rimasta nella càmera accanto.»

«Avete udito quel che si son detti?»

«Non ero autorizzata a farlo.»

«Ma lo avete udito!»

che siate voi a rispóndermi *daß Sie mir eine Antwort geben*
avvertire *warnen, aufmerksam machen*
perché *als daß*
far pèrder(e) tempo *Zeit verlieren lassen*
reticenza *f Verschweigung*
trovarsi sotto accusa di assassinio *unter Mordanklage stehen*
rèndersi conto della responsabilità *sich der Verantwortung bewußt sein*
córrere il perìcolo *Gefahr laufen*
intimorito *eingeschüchtert*
valere la pena *der Mühe wert sein*
méttersi nei guai *sich Unannehmlichkeiten schaffen*

ragione *f Grund*

insomma *also*
fare domande *Fragen stellen*

da quando *seitdem*
apparso (*v.* apparire) *erschienen*
tògliersi da *ablegen*
immobilità *f Unbeweglichkeit*
fissare qu. *j-n anstarren*
indifferenza *f Teilnahmslosigkeit*
scomparso (*v.* scomparire) *verschwunden*
chièdere di qu. *nach j-m fragen*

accanto *nebenan, daneben*
quel che si son detti (*v.* dirsi) *was sie miteinander gesprochen haben*

Sogghignò.

«È stato breve!... Nell'accompagnarla alla porta, lui le ha detto: ‹ Domani partiremo assieme, ti ringrazio, Ileana!›»

«Null'altro, signorina Campbell. Tornate nella vostra càmera.»

Verna sembrò esitare. Il brusco congedo l'aveva sorpresa. Ebbe un altro dei suoi sorrisi irònici e si allontanò per il corridoio. De Vincenzi la seguì con lo sguardo per qualche istante, poi si volse e avanzò nel salone.

«Mi sembra ormai che i fatti sìano perfettamente chiari... Ancora qualche pennellata, qualche ritocco, e avremo il quadro completo degli avvenimenti.»

Cristiana si alzò.

«Dunque, voi credete, commissario, che a uccìdere Russel sia stato io?»

«Questa è l'accusa che vi ha mossa vostra cognata, signora!»

«E a uccìdere Evelina sarei stata anche io?»

«Non abbiamo ancora parlato della signorina Evelina...»

«Ma è stata uccisa!»

«E un altro fatto è l'assassinio di Valerio! Anche di tale assassinio mi accusate?»

«Bisognerà andare per órdine, signora O'Brian. Ricostruire gli avvenimenti... e poi giùngere alle conclusioni. Sì, tutte le apparenze stanno ad accusare voi... E poiché desìdero convìncervi che la nostra giustizia non procede alla cieca, vi illuminerò tali apparenze... prima di dichiararvi in arresto...»

nell'accompagnarla alla porta *als er sie zur Tür begleitete*

null'altro *sonst nichts*

esitare *zögern*
brusco *barsch*
congedo *m Abschied, Verabschiedung*
sorpreso (*v.* sorprèndere) *überrascht*
ebbe un altro dei suoi sorrisi irònici *sie lachte noch einmal ironisch*
avanzare *hier: weitergehen*
fatto *m Tatsache*

pennellata *f Pinselstrich*
ritocco *m Retusche*
avvenimento *m Ereignis*

muòvere accusa *Anklage erheben*

andare per órdine *mit System vorgehen*
giùngere alla conclusione *zu einem Schluß kommen*
apparenza *f Anschein*
stare ad accusare *für schuldig befinden*
convìncere *überzeugen*
procèdere alla cieca *ohne Überlegung verfahren*
dichiarare in arresto *verhaften*

Pròspero O'Lary intervenne.

«Ma commissario! Voi state cadendo in un errore madornale! ... Quali ragioni avrebbe avuto Cristiana... la signora Cristiana per comméttere i delitti?... E l'arma?» La sua voce si alzò di tono: «Avete trovato l'arma?...»

cadere in un errore madornale *einem gewaltigen Irrtum verfallen*
comméttere *begehen*
alzarsi di tono *lauter werden* (*Stimme*)

De Vincenzi sorrise.

«Non l'ho ancora trovata, signor O'Lary, ma proprio voi mi chiedete quali causali avrebbe avuto la signora O'Brian per uccìdere Valerio ed Evelina? Poco fa voi stesso...»

causale *f Beweggrund*
poco fa *soeben*

«Ma io...» protestò con violenza l'ometto.

con violenza *heftig*
ometto *m Männchen*

«Lo so! Me lo avete detto. Voi avete voluto spaventarla, perché si difendesse. Sta bene. Nòbile intenzione, ma vana. Non basta difèndersi rendèndosi conto della realtà, come avete detto voi, per distrùggere i fatti che accùsano. Esaminiamo questi fatti con ponderazione e vedrete che da essi scaturiranno anche le ragioni. Sedete, vi prego...»

spaventare *erschrecken*
difèndersi *sich verteidigen*
sta bene *in Ordnung*
distrùggere *vernichten*
ponderazione *f Überlegung*
scaturire *hervorgehen*

Spinse una poltrona verso le altre allineate lungo la parete e ripeté il suo invito.

spìngere *schieben*
allineato *aufgestellt*

«Accomodàtevi.»

accomodarsi *Platz nehmen*

Cristiana fu la prima a sedere. Doveva èssere stremata. Marta, madama Firmino e O'Lary sedèttero dopo di lei. Per ùltima e con riluttanza sedette Anna Sage, lasciando una poltrona vuota tra lei e la cognata.

stremato *erschöpft*
con riluttanza *widerwillig*
vuoto *leer*

De Vincenzi contemplò per un istante i quattro volti che lo fissàvano.

«Ecco!... Possiamo cominciare...»

«Vedrò di èssere il più conciso possìbile. E non farò una sola affermazione che non sia basata sopra un'evidenza controllata. Cominciamo da Valerio, primo ad èssere ucciso. Valerio era quel che era. Voi stessi, rispondendo alle mie domande o prevenèndole, me lo avete illuminato. Una ràpida vìsita alla sua stanza è servita a completare il quadro dell'uomo. Posso aggiùngere che, lo sappiate o no, egli era anche attossicato dagli stupefacenti e dall'àlcole. I risultati dell'autopsìa sono esplìciti. Cristiana O'Brian, che lo aveva raccolto a Nàpoli quando era ancora giovanetto, aveva creduto di potérsene fare una creatura devota, un èssere automaticamente disposto a servirla. Ella stessa lo aveva definito un ‹oggetto›, un animale domèstico fedele. E di esso si serviva...» Fece una pausa e si rivolse direttamente a Cristiana. «Io ignoro, signora, se lo abbiate fatto per bisogno o per un'innata deformazione morale, ma è certo che da quando avete aperto questa Casa di Mode voi di essa vi siete servita come di un mezzo per spillar denaro a coloro che, messi dalle circostanze in contatto con voi, vi offrìvano la possibilità di ricattarli. E li avete ricattati costoro, come dimóstrano le lèttere e gli altri documenti da voi conservati in una scàtola di lacca rossa, che non mi è stato diffìcile ritrovare, per quanto

contemplare *betrachten*
volto *m Gesicht*

vedere *zusehen, sich bemühen*
èssere conciso *sich kurz fassen*
fare un'affermazione *eine Behauptung aufstellen*
basare *begründen, stützen*
evidenza *f Offensichtlichkeit*
prevenire *zuvorkommen*
illuminare *beleuchten; hier: deutlich machen*
servire a *dienlich sein, beitragen zu*
completare *vervollständigen*
lo sappiate o no *ob Sie es wissen oder nicht*
attossicare *vergiften*
stupefacente *m Rauschgift*
autopsìa *f Obduktion, Leichenöffnung*
esplìcito *klar, deutlich*
raccolto (*v.* raccògliere) *aufgenommen*
èssere *m Wesen*
disposto *bereit*
animale *m* domèstico *Haustier*
rivòlgersi a qu. *sich j-m zuwenden*
innato *angeboren*
deformazione *f Mißbildung*
da quando *seitdem*
mezzo *m Mittel*
spillar denaro *Geld abknöpfen*
coloro che *diejenigen, welche*
méttere in contatto *in Berührung bringen*
ricattare *erpressen*
costoro *diese*
dimostrare *beweisen*
scàtola *f Schachtel*
lacca *f Lack*
per quanto *wie sehr auch; hier: obwohl*

nascosta sotto la legna spenta del caminetto.»

nascosto (*v.* nascóndere) *versteckt*
spento (*v.* spègnere) *ausgelöscht*
caminetto *m Kamin*

Cristiana mormorò:

«Era la mia vendetta!... La vendetta che mi prendevo contro il destino!... Non potete capirmi!...»

vendetta *f Rache*

«Forse, vi capisco, signora. Forse, realmente quel vostro cìnico modo di approfittare dei vizi e delle debolezze altrui era in voi frutto di ribellione, fredda determinazione di fare agli altri quel che avévano fatto... o credevate avéssero fatto a voi..»

approfittare *ausnutzen*
vizio *m Fehler, Laster*
debolezza *f Schwäche*
altrui *der anderen*
determinazione *f Entschluß*

«La mia ànima è stata avvelenata!... Voi non sapete...»

avvelenare *vergiften*

De Vincenzi fece un gesto.

«Non giùdico adesso, signora, espongo... Per cómpiere tale vostra òpera, voi vi servivate di Valerio, il quale naturalmente conosceva ogni vostro segreto. In un primo tempo, egli vi servì come voi volevate e come credevate fosse possìbile servirsi di un èssere umano: ciecamente. Ma Valerio era egli stesso un indivìduo tarato, privo di morale e di scrùpoli, roso dalle passioni e dai vizi. Ben presto rivolse contro di voi quella medésima arma che voi adoperavate contro gli altri: il ricatto. E foste voi allora a divenire la sua vìttima inconscia... E tale rimaneste fino al momento in cui, per una ragione occasionale che io ignoro ma che deve èssersi necessariamente prodotta, lo uccideste...»

giudicare *urteilen*
espongo (*v.* esporre) *ich stelle dar, ich berichte*
cómpiere *ausführen*
òpera *f Werk*
in un primo tempo *zuerst*
èssere *m* umano *Mensch*
ciecamente *blindlings*
tarato (*erblich*) *belastet*
privo di *ohne*
privo di scrùpoli *skrupellos*
roso (*v.* ródere) *verzehrt*
rivòlgere *richten, wenden*
quella medésima *dieselbe*
adoperare *anwenden*
ricatto *m Erpressung*
divenire *werden*
vìttima *f Opfer*
inconscio *unbewußt*
fino a *bis*
per una ragione occasionale *aus irgendeinem zufälligen Grund*
èssersi prodotto *entstanden sein*
necessariamente *notwendigerweise*

Cristiana alzò il capo.

«E lo avrei ucciso nella mia càmera? E avrei lasciato il cadàvere sul mio letto?»

«No, non nella vostra càmera. Valerio è stato ucciso nel ‹museo degli orrori›, fra i manichini... In quella stanza avete avuto con lui un diverbio ... forse una spiegazione ... o forse nulla di tutto questo, ma semplicemente è stato in quella càmera che vi si è presentata l'opportunità di liberàrvene e l'avete colta...»

La donna fece per parlare; ma certo dovette avere la sensazione della inutilità di ogni sua difesa, perché scosse il capo e tacque.

orrore *m Schauder*
museo *m* degli orrori *etwa: Schreckenskammer*
manichino *m Gliederpuppe*
diverbio *m Wortwechsel*

nulla di tutto questo *nichts von all diesem*

presentarsi *sich bieten*
opportunità *f Gelegenheit*
liberarsi (di) *sich entledigen, loswerden*
colto (*v.* cògliere) *ergriffen*
fare per parlare *zum Sprechen ansetzen*
sensazione *f Gefühl*
inutilità *f Nutzlosigkeit*

Un regno è un regno

di G. Rosato

Pure, il corso l'avevi allora attraversato compunto e compreso della mesta funzione per la quale venivi pagato. A lato del carro, un po' sul davanti, guardavi di sottecchi Agostinello attraverso i vetri della cabina, per tenere il suo passo. La gente non si curava di te, forse nemmeno ti riconosceva, ma quell'ala di rada folla che si diluiva automaticamente sui marciapiedi, quel rumore rugginoso di saracinesche calate in segno di riguardo, e il silenzio che non di colpo ma a poco a poco si faceva assoluto per guastarsi poi ma giammai del tutto dopo che il carro era passato, avévano un che di correlazione anche con te, ossìa con il tuo apparire, che con la tua divisa ti facevi una specie di mediatore tra il morto e i vivi. Non per niente ti dàvano duemila lire: eri, indubbiamente, il punto d'equilibrio del funerale, il tocco risolutivo perché un corteo fùnebre fosse una tremenda, irrimediàbile cosa.

Ma quello che c'era sotto, quello che succedeva prima, quello avrebbe dovuto sapere la gente.

Il morto voi ve l'eravate quasi ogni volta conteso, a forza di spiate, di appostamenti, di segnalazioni misteriose che giungévano chi sa per quale filo a Nerone. Incominciava per tempo il suo lavoro diplomàtico. Egli abbordava il parente, il compare, l'amico del

compunto *zerknirscht*
compreso *durchdrungen*
mesto *traurig*
carro *m* (*hier* = carro fùnebre) *Leichenwagen*
di sottecchi *verstohlen*

tenere il passo *im gleichen Schritt gehen*
curarsi di qu. *auf j-n achten*
ala *f Flügel*
rado *spärlich*
diluirsi *sich auflösen*
rugginoso *rostig*
saracinesca *f Rolladen*
calare *herablassen*
in segno di *zum Zeichen*
riguardo *m Rücksicht, Achtung*
di colpo *schlagartig*
a poco a poco *allmählich*
guastarsi *zunichte werden*
un che di correlazione *irgendeine Verbindung*
ossìa *das heißt*
divisa *f Uniform*
mediatore *m Vermittler*

punto *m* d'equilibrio *Gleichgewichtspunkt*
funerale *m Leichenzug*
risolutivo *entscheidend*
corteo *m* fùnebre *Trauerzug*
quello che c'era sotto *das, was dahintersteckte*
contèndersi qc. *um et. wetteifern*
a forza di *durch, mit*
spiata *f Spionieren*
appostamento *m Nachstellen*
chi sa per quale filo *wer weiß wie*
per tempo *zur rechten Zeit*
abbordare qu. *an j-n herantreten*
compare *m Gevatter*

pròssimo a morire. Non sapevi neppure tu come diàvolo facesse, certo è che non trascorreva mezz'ora dal trapasso e uno di voi era già stato spedito a prèndere le misure e il resto, che era quindi un impegnarsi, da parte della famiglia in lutto, con la vostra impresa. Al caso, Nerone veniva egli pure, ma lasciava poi sempre o Agostinello o te nella dimora del defunto, dentro o fuori a seconda della possibilità, cosicché all'apparire di un qualche messo dell'altra ditta che venisse a proporre il mortorio vi faceste a lui incontro dicendo che il gioco era già fatto, in vostro pro, e che non tentasse scherzi.

Questo già ti dava un grande peso, non solo perché nell'andare difilato all'appuntamento con il neo defunto temevi sempre di trovare uno dell'impresa concorrente che ti avesse preceduto (e a mani vuote, da Nerone, con che faccia ti saresti ripresentato?), ma più al pensiero di come triste fosse entrare con falsa cortesìa nel cuore di un fresco dolore, e convìncere la débole resistenza dei familiari, strappare una firma di autorizzazione, soprattutto poi rimanere a difèndere il privilegio acquisito, interesse così remoto da quel sentimento della morte che tuo malgrado continuava ad atterrarti anche quando non si poteva più dire che fosse cosa delle prime volte. Figùrati se c'era un qualche impedimento, la lùcida opposizione al tuo larvato sopruso da parte del parente meno assorbito dal dolore, che chiedeva tempo per riflèttere e decìdere (e far arrivare

come diàvolo facesse *wie konnte er das nur zustande bringen*
certo è che *es steht fest, daß*
trascórrere *vergehen*
trapasso *m Ableben*
èssere spedito *(hin)geschickt werden*
impegnarsi *sich verpflichten*
impresa *f Unternehmen*
al caso *gelegentlich*
a seconda di *nach, entsprechend*
messo *m Bote*
proporre *vorschlagen*
mortorio *m Leichenbegängnis*
in vostro pro *zu euren Gunsten*
ti dava un grande peso *es war für dich sehr schwer*
difilato *unverzüglich*
appuntamento *m Verabredung, Treffen*
neo *neu; hier: gerade, soeben*
precèdere *zuvorkommen*
faccia *f Miene*
ripresentarsi *wieder erscheinen*
al pensiero di *bei dem Gedanken daran*
convìncere la débole resistenza *den schwachen Widerstand überzeugen*
strappare una firma *eine Unterschrift entlocken*
acquisito *gewonnen*
così remoto da *so entfernt von*
tuo malgrado *gegen deinen Willen*
atterrare *niederschlagen*
impedimento *m Hindernis*
larvato *verhüllt*
sopruso *m Übergriff*
assorbito *in Anspruch genommen*
chièdere tempo *Zeit haben wollen*

– dovevi pensare e Nerone te ne aveva ammaestrato – le proposte dell'altra ditta).

Fortunato, già, che non ti fosse sùbito capitato uno di quei casi rognosi, come quando Valentino aveva dovuto una volta fare a pugni con l'emissario di Capitani, che aveva trovato ad aspettare sul pianeròttolo del piano terreno, un'altra volta méttersi a minacciare e a bestemmiare tanto, nella stanza del morto, per uno che aveva obbiettato che l'altra impresa faceva un prezzo migliore, che tutti gli altri parenti si èrano affrettati a tacitarlo mandàndolo via con la firma sull'impegnativa e le misure e le altre disposizioni. Era la guerra, ma tu non eri incappato che in azioni di pattuglie. Quando la sorte ti pose al centro della prima lìnea, fu dunque più repentino il tuo crollo, e fu più sacrosanta e irreparàbile la tua resa.

Ti aveva fatto chiamare, a rotta di collo, Nerone, mentre dormivi ancora. La sera prima era spirato in ospedale don Mimì l'oréfice.

«Pòvero don Mimì. Com'è stato?», avevi detto, scendendo giù per le scale vestito mezzo sì e mezzo no.

«Altro che pòvero don Mimì, qua si tratta di non pèrdere tempo se no il mortorio sfuma. Dài, dài, fa' sùbito.»

E giù per le ruve, la piazza, il corso, fino all'agenzìa.

Nerone aveva radunato gli altri.

«Il morto è già pronto, dentro la cassa, e il funerale è alle dieci. Andàtevi a piazzare davanti al cancello dell'ospedale e non vi movete. Un altro poco vengo io con il carro.»

ammaestrare *belehren*
proposta *f Vorschlag*
capitare *vorkommen*
rognoso *lästig*
fare a pugni *handgemein werden*
emissario *m Abgesandte(r)*
trovare ad aspettare *wartend antreffen*
pianeròttolo *m Treppenabsatz*
piano *m* terreno *Erdgeschoß*
méttersi a *anfangen zu*
minacciare *drohen*
bestemmiare *fluchen*
per uno che *weil einer*
obbiettare *einwenden*
affrettarsi *sich beeilen*
tacitare *zum Schweigen bringen*
impegnativa *f Verpflichtung*
incappare *hineingeraten*
pattuglia *f Patrouille, Spähtrupp*
pose (*v.* porre) (*es*) *stellte*
repentino *plötzlich*
crollo *m Zusammenbruch*
resa *f Übergabe*
a rotta di collo *Hals über Kopf*
spirare *sterben*
oréfice *m Goldschmied*
altro che ... *jetzt gibt es etwas Wichtigeres als ...*
se no *sonst*
sfumare *zunichte werden*
dài, dài *beeile dich*
ruva *f Straße*
radunare *versammeln*
cassa *f Sarg*
andàtevi a piazzare *stellt euch auf*
non muòversi *sich nicht rühren*
un altro poco *bald*

Eravate tutti e quattro, c'era pure Smeraldo. Avevi finito di vestirti e métterti il fiocco nero e via, a passo di càrica, verso l'ospedale.

«E la cassa, gliel'ha fatta lu fratello?»

«Credo di sì. A Nerone gli ha telefonato il custode dell'ospedale, e gli ha detto che ci vuole solo il carro.»

Davanti al cancello c'era, però, il carro di Capitani.

«Ohi, è già venuto!»

«E com'è venuto, così se ne rivà. A noi ha chiamato, lu portiere.»

Valentino si era avvicinato al carro. L'autista se ne stava seduto nella cabina, con il berretto salito sulla fronte e la faccia sulla mano, il gómito poggiato sul telaio del finestrino aperto.

«Chi sei venuto a prèndere?»

«Don Mimì.»

«Lu portiere ha chiamato a noi.»

«E a noi ci ha chiamato mastro Guerino.»

«Se lu morto usciva dalla casa, comandava mastro Guerino, che gli è lu fratello. Ma siccome esce da lu spedale, mastro Guerino non conta niente.»

«Questo lo dici tu. Intanto io sto qua e non mi muovo.»

Lo spiazzo davanti all'ospedale risulta dall'incrocio di tre strade. A destra del cancello, in posizione di marcia, e nel senso della via del cimitero, s'era sistemato il furgone dell'impresa Capitani. Valentino aveva detto:

«Mo che viene Nerone, si vede», e vi eravate disposti contro il muro dal lato opposto. Èrano sì e no le otto e l'aria marzolina pungeva le orecchie salendo

fiocco *m Schleife*
passo *m* di càrica *Sturmschritt*
lu = il
ci vuole qc. (*v.* volere) *et. ist nötig*
riandare *wieder gehen*
così se ne rivà *so geht er wieder weg*
avvicinarsi *sich nähern*
stàrsene seduto *sitzen bleiben*
berretto *m Mütze*
salito sulla fronte *aus der Stirn geschoben*
gómito *m Ellbogen*
poggiare *(auf)stützen*
telaio *m* del finestrino *Fensterrahmen*
mastro *m Meister*
siccome *da*
spedale = ospedale *m Krankenhaus*
non contare niente *gar nichts zu sagen haben*
io sto (*v.* stare) qua *ich bleibe hier*
spiazzo *m freier Platz*
risultare *entstehen*
incrocio *m Kreuzung*
cancello *m Gitter*
nel senso di *in Richtung auf*
sistemarsi *sich einrichten*; *hier: stehen*
mo che *wenn*
disporsi *sich aufstellen*
sì e no *etwa, ungefähr*
aria *f* marzolina *Märzwind*
pùngere *beißen*

dalla via di Sant'Antonio. Smeraldo s'era alzato il bàvero della giacca e s'era seduto sul gradino del marciapiede.

«Stanotte, mi so' addormito a le tre.»

Era chiaro che a lui non importava niente di quella situazione. Valentino invece era corso a un tratto dentro l'ospedale, a telefonare a Nerone. Tornando disse che sarebbe venuto sùbito il carro. Tu non potevi stare fermo, e ora ti sporgevi verso il vialetto interno al cancello, ora ti spingevi dieci passi sul marciapiede che costeggia il muretto di cinta. Agostinello vi si era addossato, con una gamba piegata, e fumava.

«Ecco Nerone!»

L'avevi visto tu per primo. Il carro sterzò verso destra, s'arrestò, incominciò a retrocèdere accostàndosi al marciapiede dov'era seduto Smeraldo, che si levò in piedi e si trasse contro il muro. Quando fu con la bocca posteriore a filo della colonna del cancello, Valentino fece: «Alt!» e Nerone saltò giù dalla cabina.

«È venuto pure lui per don Mimì», disse ancora Valentino.

«E voi, non gli avete detto niente?»

«Ha detto che l'ha chiamato mastro Guerino. Stava già qua, non te l'ho detto?»

Nerone era andato giù per il vialetto, a buon passo.

«Che può fa', ormai, s'ha da aspettà' che esce lu morto.»

«E che esce lu morto, che succede?», avevi chiesto.

«La guerra!»

bàvero *m Kragen*
gradino *m Stufe*
gradino *m* del marciapiede *Bordschwelle*
mi so' (= sono) addormito *ich bin eingeschlafen*
a lui non importava niente di ... *ihm war nichts an ... gelegen*
corso (*v.* córrere) *gelaufen*
a un tratto *plötzlich*
tornando *als er zurückkam*
stare fermo *ruhig bleiben*
ora ... ora *bald ... bald*
spòrgersi *sich herauslehnen; hervortreten*
costeggiare *entlanggehen*
muretto *m* di cinta *Einfassungsmauer*
addossarsi *sich anlehnen*
per primo *als erster*
sterzare verso destra *nach rechts ausweichen*
retrocèdere *zurückfahren*
accostarsi *sich nähern*
trarsi contro il muro *an die Mauer treten*
bocca *f* posteriore *Hinterteil*
a filo di *dicht bei*
colonna *f Säule, Pfeiler*
a buon passo *mit raschen Schritten*
fa' = fare
s'ha da aspettà' (= aspettare) *man muß warten*
e che *hier: und wenn*

Valentino teneva la sua idea fissa. Pareva gioirne. Tu eri rimasto un po' a guardarlo, poi avevi ripreso a passeggiare.

A un tratto Valentino aveva detto:

«Uè, andiamo. Nerone ci sta a chiamare.»

Gli aveva fatto cenno dal fondo del viale. Quando vi ebbe a portata di voce, disse forte:

«Voi mettétevi qua e non vi movete.»

Aveva indicato con la mano la breve gradinata davanti all'ampia vetrata dell'ingresso.

«Il morto pare che esce prima, alle nove. Meno male che siamo venuti presto, il portiere non aveva capito niente.»

Nemmeno a finire le parole, ed èrano arrivati i quattro dell'impresa Capitani. L'autista li aveva avvertiti, perciò non dìssero nulla e si mìsero là vicino, a fare gli indifferenti. Sùbito li raggiunse anche l'autista.

Entràvano le automòbili dei mèdici e si fermàvano sotto gli alti pini del parchetto.

A te il tempo che passava, e l'avvicinarsi alla porta, e l'arrivo dei competitori ti mettévano in uno stato di tristezza, non di ansia, né di paura. Un'oppressione che non t'era mai capitato di sentirti addosso con tanta compiutezza. Non vedevi spiraglio, perciò non avevi domandato più nulla. Che cosa poteva succèdere, come si sarebbe risolta quella faccenda.

«Io mo vado dentro. Appena vi faccio cenno, sficcate da quella parte, verso la càmera mortuaria.»

gioirne *sich darüber freuen*
riprèndere a passeggiare *wieder auf und ab gehen*
stare a chiamare *rufen*
fare cenno a qu. *j-m ein Zeichen geben*
a portata di voce *in Rufweite*
gradinata *f Vortreppe*
vetrata *f Glastür*
meno male *um so besser*
nemmeno a finire le parole *kaum hatte er seine Worte beendet*
avvertire *warnen*
fare gli indifferenti *sich gleichgültig stellen*
raggiùngere *einholen*
competitore *m Konkurrent, Rivale*
méttere in uno stato di tristezza *in eine trübe Stimmung versetzen*
ansia *f angstvolle Unruhe*
oppressione *f Beklemmung*
capitare *vorkommen*
sentirsi addosso *auf sich fühlen*
compiutezza *f Vollständigkeit*
spiraglio *m Ausweg*
risòlvere la faccenda *den Streit schlichten, die Angelegenheit bereinigen*
mo *jetzt*
sficcare *losmachen*
sficcate da quella parte, verso ... *verschwindet schnell in Richtung ...*
càmera *f* mortuaria *Leichenhalle*

Nerone aveva parlato sottovoce e senza fare gesti, per non far capire la propria intenzione all'avverso drappello. Il quale, per la verità, t'era parso allora assai più dignitoso di voi, composto e compatto sull'orlo laterale della gradinata, con ciascuno dei componenti dritto e teso nell'àbito nero. Solo l'autista portava il berretto. A ripensarci, avévano fatto bene ad abolirlo. Voi, vi si poteva prèndere per guardiani notturni. Il funerale è una cerimonia, e l'àbito da cerimonia non prevede copricapo. Ti sentivi già soldato di un esèrcito irregolare e comprendevi ancora meglio il motivo per cui Nerone ti aveva chiamato, a far da contrappeso e da facciata, pulita, a tutto il resto della sua baracca. In quel modo era fàcile far la concorrenza alla ditta Capitani, che un po' perché era forestiera (ma quella di Nerone, perché cos'era?), un po' perché seguiva le vie regolari, andava davvero perdendo terreno in misura non sperata dallo stesso Nerone.

Cercavi di distògliert da quell'abbattimento che ti sentivi créscere e schiacciarti, ecco la tua debolezza che oggi pure ti tiene lì incapace di un gesto, ma niente ti poteva, niente ti può venire in aiuto. Se qualcuno provasse, in codesto tuo sconforto, a entrarci a forza di parole aspre che avrèbbero a scuòterti, tu non sapresti se non balbettare, e non muòvere un dito.

Così Nerone aveva poi fatto il segnale dall'interno della vetrata e Valentino aveva detto: «Dài», e s'era buttato verso l'obitorio. Lo avevate seguito

sottovoce *leise*
non far capire *nicht verraten*
la propria intenzione *seine Absicht*
drappello *m Trupp*
t'era parso (*v.* parere) (*er*) *war dir vorgekommen*
composto *vereinigt, geordnet*
compatto *dicht, geschlossen*
orlo *m* laterale *Seitenrand*
componente *m Mitglied*
dritto e teso *kerzengerade*
a ripensarci *wenn man es recht bedenkt*
abolire *abschaffen*
prèndere qu. per ... *j-n für ... halten*
guardiano *m* notturno *Nachtwächter*
prevedere *vorsehen*
copricapo *m Kopfbedeckung*
far da contrappeso *das Gegengewicht bilden*
facciata *f Fassade*
baracca *f* (*zweifelhaftes*) *Unternehmen, Geschäft*
forestiero *fremd*
andare perdendo terreno *immer mehr Gelände verlieren*
non sperato *nicht erhofft*
distògliersi da *loskommen von*
abbattimento *m Niedergeschlagenheit*
schiacciare *erdrücken, überwältigen*
sconforto *m Kummer*; *Niedergeschlagenheit*
scuòtere *erschüttern, aufrütteln*
balbettare *stammeln*
buttarsi *sich werfen*; *hier: losrennen*
obitorio *m Leichenhalle*

come vi riusciva, ma quanto era bastato a farvi trovare ad un certo momento tutti e quattro intorno alla bara. Avevi avuto il tempo di scòrgere, nella penombra dei ceri, tre o quattro persone ritte verso il capo del catafalco, di udire il miscuglio che ti era familiare di preghiere e lamenti, senza gli alti urli che tòccano alla morte dei gióvani: poi, all'improvviso, èrano entrati gli uòmini di Capitani.

«Noi siamo stati chiamati da...»

«Dài, acchiappa a piedi!»

L'invito di Valentino (un urlo in quel semi-silenzio) aveva troncato la spiegazione che voleva dare uno di quegli altri. Tu avevi fatto il tuo meglio per rimediare al tempo che non avevi saputo cògliere, ma t'era parso, mentre stavi già con le mani allo spìgolo della bara che ti spettava, che un braccio ti si levasse sopra per colpirti (la tensione, la falsombra mòbile e lunga dei ceri), e avevi lasciato la presa spostàndoti da un lato e coprèndoti d'istinto la nuca con le braccia. Un brìvido serpentino t'aveva percorso, in quell'àttimo che doveva prelùdere al colpo, ma giunse invece il grido alto delle tre o quattro donne, cui si mescolò la cupa bestemmia di Valentino, seguita dalle lunghe imprecazioni di Agostinello e di Smeraldo. Una delle donne corse fuori e strillava, la voce di mastro Guerino prese a percuòterti come una frusta. Schifo, denuncia, sciacalli. Mentre Valentino cercava di riméttere la bara sul palchetto, abbrancàndola con tutte e due le braccia dalla parte della testa. Ma non poteva riuscirci, perché dalla

come vi riusciva *so gut es ging*
scòrgere *erblicken*
penombra *f Halbschatten*
cero *m Kerze*
miscuglio *m Gemisch*
èssere familiare *vertraut sein*
lamento *m Klage*
urlo *m Schrei*
toccare *zukommen*
acchiappare *fassen*
invito *m Aufforderung*
troncare *abbrechen*
far il suo meglio *sein Bestes tun*
rimediare *abhelfen, wiedergutmachen*
cògliere *(aus)nützen*
spìgolo *m Kante*
levarsi sopra *aufragen über*
tensione *f Erregung*
falsombra *f trügerischer Schatten*
lasciare la presa *die Beute (= den Sarg) fallenlassen*
spostarsi da un lato *sich auf die Seite stellen*
nuca *f Nacken*
brìvido *m Schauer*
serpentino *schlangenartig*
brìvido *m* serpentino *hier: Schüttelfrost*
percórrere *überlaufen*
prelùdere *vorangehen*
colpo *m Schlag*
cupo *dumpf*
imprecazione *f Fluch, Verwünschung*
córrere fuori *hinauslaufen*
strillare *schreien*
prèndere a *anfangen zu*
frusta *f Peitsche*
sciacallo *m Plünderer*
riméttere *wieder stellen*
abbrancare *fest anpacken*
non poteva riuscirci *es konnte ihm nicht gelingen*

parte dei piedi la cassa di legno s'era sfasciata piombando sul pavimento, quando tu non eri stato pronto a sollevarla e Smeraldo, dopo aver resistito per un poco da solo allo sforzo, aveva lasciato andare tutto, badando con un ràpido gesto a salvarsi le mani.

T'era venuta, allora, una di quelle tue rare e fattive decisioni. «Ma, i' me ne vaje», avevi detto con una strana durezza, come offeso, profondamente: e sfregando con ampio gesto due o tre volte palmo contro palmo le mani, che equivaleva a dire «mi sono spicciato, per me ho bello che chiuso», avevi imboccato con risolutezza l'uscio e te n'eri andato per davvero.

sfasciarsi *zerbrechen*
piombare *herunterfallen*
èssere pronto *bereit sein*
resistere *standhalten*
sforzo *m Beanspruchung*
badare a *sich kümmern um*

i' (= io) me ne vaje (= vado) *ich gehe weg*
offeso (*v.* offèndere) *beleidigt*
sfregare *reiben*
palmo *m Handfläche*
che equivaleva a dire *was bedeuten sollte*
spicciarsi *sich beeilen*
per me ho bello che chiuso *ich will damit nichts mehr zu tun haben*
imboccare *einbiegen, einmünden*
imboccare l'uscio *hier: zur Tür hinausgehen*

La contrada

di S. Gigli

Era rappresentante locale di una ditta di profumi. Gli affari andàvano bene e la ditta lo pagava largamente.

Si fidanzava ora con questa, ora con quella ragazza senza fissare definitivamente le sue intenzioni. Da qualche tempo però si limitava a molestare le sartine del Rossi ai Quattro Cantoni, senza avvicinarne alcuna. I suoi amici lo deridévano. Ci fu chi pensò che si fosse innamorato sul serio e che proprio quella non lo volesse.

Anselmo lo trovò infatti appoggiato alla porta del caffè, nella sua posa abituale: la gamba destra sollevata e poggiato il piede allo spìgolo del muro, una mano in tasca dei pantaloni e l'altra al bocchino che strideva fra i denti. L'agente pensò che, qualora lo avesse portato in Questura, il gióvane «barbaresco» si sarebbe spaventato e non avrebbe *cantato* con quella naturalezza che egli preferiva. Allora lo pregò di accompagnarlo verso Via Stalloreggi. Buchetta doveva conóscerlo perché si fece pàllido e all'invito di Anselmo mormorò: «Hai bisogno di interrogare anche me?»

«Come sai che ti debbo interrogare?» Buchetta sembrava in quell'atteggiamento timoroso, ancor più gióvane e Anselmo sentì che era meglio trattarlo confidenzialmente col «tu».

rappresentante *m Vertreter*
largamente *großzügig*
fidanzarsi *sich verloben*
ora ... ora *bald ... bald*
fissare *festlegen*
limitarsi *sich beschränken*
molestare *belästigen*
sartina *f Näherin*
avvicinare qu. *j-m nahekommen*
derìdere *auslachen*
ci fu chi pensò *einige dachten sogar*
sul serio *im Ernst*
proprio *ausgerechnet*
appoggiato *(an)gelehnt*
posa *f* abituale *gewohnte Haltung*
poggiato *(auf)gestützt*
spìgolo *m Kante*
bocchino *m Zigarettenspitze*
strìdere *knirschen*; *hier: beißen*
agente *m Polizist*
qualora *falls, wenn*
Questura *f Polizeipräsidium*
spaventarsi *erschrecken*
cantare *auspacken, „singen"*
preferire *vorziehen, lieber haben*
farsi pàllido *blaß werden*
invito *m Aufforderung*
avere bisogno di fare *tun müssen*
interrogare *verhören*
come sai? (*v.* sapere) *woher weißt du?*
atteggiamento *m Haltung*
trattare confidenzialmente *vertraulich behandeln*

«Si è sparsa la voce che Lei sta raccogliendo indizi sulla morte di Ganascia.»
«Vieni, facciamo quattro passi.»
«Mi porta in Questura?»
«Macché Questura! Non l'hai mica ucciso tu Ganascia? E allora? Vieni.»

Buchetta si staccò dal muro dàndosi la spinta col piede che vi stava appoggiato. Présero verso Via Stalloreggi come due buoni amici.

Per un quarto d'ora parlàrono del Palio rievocàndone i punti salienti. Anselmo ormai sapeva tutto molto bene, ma era sempre disposto a sentìrselo raccontare di nuovo. Non sapeva proprio spiegarsi il perché, ma ad ogni racconto gli sembrava che ci fosse sempre qualche cosa di interessante e di diverso da annotare. Ci aveva preso gusto a completare la sua cultura sulla grande giostra senese.

Quando giùnsero al prato di San Marco, la zona era deserta. L'agente guardò in giro: c'èrano soltanto due ragazzi che giocàvano a palla, distanti, verso la strada del Giuggiolo. Si mise a sedere su una panchina e invitò Buchetta a sedere.

«Ora dimmi un poco: da quanto tempo Ganascia aveva mal di testa?»

«Aveva mal di testa? E come lo sa? Ganascia non aveva mal di testa.»

Ma si era turbato d'improvviso e aveva rimesso nel taschino della giacca il bocchino che distrattamente gli era venuto di portare alla bocca.

«Perché, Ganascia non ti risulta che avesse mal di testa?»

si è sparsa (*v.* spàrgersi) la voce *es geht das Gerücht*
fare quattro passi *ein paar Schritte machen*
macché! *ach was!*
non ... mica *doch nicht*
staccarsi *sich losmachen*
spinta *f Stoß*
stare appoggiato *sich anlehnen*
présero (*v.* prèndere) verso *sie gingen in Richtung*
palio *m Wettrennen*
rievocare *ins Gedächtnis zurückrufen*
il punto saliente *der springende Punkt*
disposto *bereit*
non sapere spiegarsi *sicht nicht erklären können*
proprio *wirklich, eigentlich*
perché *m Grund, Ursache*
annotare *vermerken*
prèndere gusto a *Gefallen finden an*
giostra *f Turnier*
senese *von Siena*
deserto *leer*
guardare in giro *sich umschauen*
distante *weit weg*
méttersi a sedere *sich setzen*
panchina *f Bank*
dimmi (*v.* dire) un poco *sag mal*
mal *m* di testa *Kopfschmerzen*
turbarsi *unruhig werden*
rimettere nel taschino *wieder einstecken*
venire di portare alla bocca *in den Mund geraten*
risultare *bekannt sein*

«Sì … può darsi, perché Buzzo lo portò a letto presto, senza fargli fare il giro notturno per i partiti.»

«E non ti parlò mai di un certo calmante?»

Anselmo atteggiò la bocca ad un sorriso che piacque poco a Buchetta.

«Senti giovanotto, credo sia meglio venire ad un patto chiaro. Ti dirò quello che so io, quello che tu non potrai mai negare. Così almeno ti regolerai nell'aggiùngere ciò che non conosco e voglio sapere di te. Ascolta: Ganascia aveva mal di testa e cercava un calmante. Si rivolse a Buzzo, ma Buzzo non lo accontentò, allora Ganascia ne parlò con te. A questo punto il racconto lo dovresti continuare tu, ma voglio dirti ancora qualche altra cosa. Quando il «soprallasso» di Ganascia arrivò nei pressi di Fonte Gaia, Ganascia disse che aveva sete. Il ragazzo che faceva da palafreniere al «soprallasso» voleva andare a prèndere dell'acqua, ma tu fosti più pronto di lui. Ganascia mise una certa pólvere nel bicchiere e bevve. Il corteo riprese la marcia. Va bene fin qui? E se proprio ti piace conóscere come ho saputo questo secondo particolare, ti accontento: ho parlato con Pierino Ganci, il figliolo di quella fruttivéndola che ha il negozio in Via dei Maestri. Ora parla tu che mi sembra l'ora.»

Buchetta inghiottì saliva mandando in su e in giù il pomo d'Adamo e facendo gli occhi piccini, confusi.

«Io … insomma, sì, ecco … Ganascia aveva bisogno di un calmante.»

«E tu glielo procurasti.»

può darsi *es kann sein*
far fare *machen lassen*
giro *m* notturno *nächtlicher Rundgang*
calmante *m Beruhigungsmittel*
atteggiare la bocca *den Mund verziehen*
piacque (*v.* piacere) (*es*) *gefiel*
negare *leugnen*
regolarsi *sich danach richten*
aggiùngere *hinzufügen*
rivòlgersi a *sich wenden an*
accontentare *zufriedenstellen*
continuare *fortsetzen*
nei pressi *in der Nähe*
fare da *arbeiten als*
palafreniere *m Reitknecht*
più pronto di *schneller als*
corteo *m* (*Fest-*)*Zug*
riprèndere la marcia *sich wieder auf den Weg machen*
ti piace conóscere *du willst wissen*
particolare *m Einzelheit, Detail*
fruttivéndola *f Obsthändlerin*
che mi sembra l'ora *es ist höchste Zeit dazu*
inghiottire *hinunterschlucken*
saliva *f Speichel*
in su e in giù *auf und ab*
pomo *m* d'Adamo *Adamsapfel*
confuso *verlegen*
insomma *also, schließlich*
procurare *verschaffen*

«Sì, oddìo … lo comprai in farmacìa, una cosa da niente.»

«Alla farmacìa dei Quattro Cantoni?»

«Già … sì, alla farmacìa dei Quattro Cantoni. Un calmante qualunque…»

«Con la ricetta di Ganascia.»

«Un calmante, insomma.»

«No, no, precisiamo. Non si trattava di un calmante qualunque. Ganascia ti aveva dato una ricetta.»

Buchetta non rispose. Si fece ancora più pàllido. L'altro lo guardava, indagando. Il gióvane si sentiva gli occhi dell'agente fin dentro il pericardio. Poi si fece ardito e disse in uno scatto: «Insomma io della ricetta non so niente! Era un foglietto di carta con due o tre parole. Che vuole che m'importasse quello che c'era scritto? Volle il calmante e glielo presi!»

«Piano, piano. Qui fino a prova contraria, sono io che devo prèndere certi atteggiamenti. Senti, giovanotto, ho promesso di trattarti amichevolmente, ma se storci la strada…»

«No, no … chieda pure. Ma come si fa a ricordarsi di tutto, così all'improvviso.»

«Va là, che te lo ricordi benìssimo. Dunque tu prendesti alla farmacìa dei Quattro Cantoni ciò che era scritto nella ricetta. Poi lo desti a Ganascia. Ganascia lo sciolse nel bicchiere d'acqua durante il giro del corteo stòrico, e bevve. E questo è tutto. Va bene?»

Buchetta si sentì sollevato e rispose, reggendo lo sguardo dell'agente: «Va bene.»

oddìo *mein Gott*
una cosa da niente *etwas Harmloses*
già *gewiß*
qualunque *irgendein*
ricetta *f Rezept*
precisare *genau angeben*
farsi pàllido *blaß werden*
indagare *forschen*
fin dentro … *bis in … hinein*
pericardio *m Herzbeutel*
ardito *kühn*
in uno scatto *plötzlich*
foglietto *m* di carta *kleines Blatt Papier*
che vuole che m'importasse *was meinen Sie, daß mich anging*
presi (*v.* prèndere) *hier: ich holte*
piano, piano *nur langsam*
fino a prova contraria *bis der Gegenbeweis erbracht ist*
atteggiamento *m Haltung; Standpunkt*
promesso (*v.* prométtere) *versprochen*
stòrcere la strada *den falschen Weg einschlagen*
come si fa a … *wie kann man…*
va (*v.* andare) là *aber geh*
desti (*v.* dare) *du gabst*
sciògliere *(auf)lösen*
giro *m* del corteo *Festzug*
sollevato *erleichtert*
règgere *standhalten*

«Eh, no, caro giovanotto! Troppo sémplice! Non va bene niente affatto. E sai perché non va bene? Perché il farmacista non volle darti il contenuto della ricetta.»

Se non fosse stato seduto Buchetta sarebbe certamente caduto per terra, tanto si fece pàllido e tremante.

«Non è vero. Il farmacista mente. Vuole scagionarsi della sua parte di responsabilità. Mi dette la pólvere che gli chiesi. Ne fece una mescolanza con due o tre sostanze e la involse in una carta gialla.»

«Eppure, guarda un po', carta gialla non se ne usa nella farmacìa dei Quattro Cantoni.»

«Vuole métterci a confronto? Sono pronto, sa. Io sono innocente. Lo sosterrò davanti a tutti che quel calmante me lo dette il farmacista.»

«Lo sosterrai, ma chi ti crederà?»

«Tutti mi crederanno, perché io non sono un assassino. Che ragione avevo io di uccìdere Ganascia? Io volevo bene a Ganascia. Ganascia avrebbe vinto il Palio alla tartuca. Perché lo avrei ucciso?!...»

Il gióvane gridava troppo. Bisognava sospèndere quello strano interrogatorio.

Qualcuno passando dalla strada riconobbe Buchetta e pensò: «Sta raccontando una delle sue sòlite avventure. Che ragazzaccio! Beato lui!»

«E perché lo avrebbe dovuto uccìdere il farmacista?»

«Questo non lo so. Neppure lui forse, ma può avere sbagliato la ricetta.»

niente affatto *ganz und gar nicht*
farmacista *m Apotheker*
contenuto *m Inhalt*
stare seduto *sitzen*
cadere per terra *auf den Boden fallen*
tanto *so sehr*
tremante *zitternd*
mentire *lügen*
scagionarsi *sich entlasten, von sich abwälzen*
responsabilità *f Verantwortlichkeit*
gli chiesi (*v.* chièdere) *ich verlangte von ihm*
mescolanza *f Mischung*
invòlgere *einwickeln*
usare *verwenden*
méttere a confronto *gegenüberstellen*
innocente *unschuldig*
sostenere *behaupten, versichern*
assassino *m Mörder*
ragione *f Grund*
voler bene *gern haben*
bisognava sospèndere *man mußte unterbrechen*
interrogatorio *m Verhör*
sta (*v.* stare) raccontando *er erzählt gerade*
sòlito *gewohnt, üblich*
ragazzaccio *m Bengel*
sbagliare la ricetta *das Rezept falsch machen*

«Allora ti dirò che quando il farmacista ti negò il calmante c'era nel negozio un'altra persona.»

«Non è vero, eravamo soli.»

«Quindi ammetti che ti negasse il calmante.»

Buchetta si alzò. Era disperato.

«Non è vero. Il farmacista mi dette il calmante e nel negozio non c'era nessuno. La sua parola vale quanto la mia. Perché crede a lui e a me no?»

«E chi ti dice che non ti credo?»

«Lo vedo, lo sento: Lei non mi crede! Io non ho ucciso Ganascia... Io non volevo uccìdere Ganascia...»

«Non volevi, ma potresti averlo ucciso senza accòrgertene.»

«No, no... non posso averlo ucciso io...»

Anselmo lo prese per un braccio.

«Mi lasci. Non ho fatto niente. Non può arrestarmi.»

«Su, non facciamo storie. Nessuno ti vuole arrestare. Soltanto, ascóltami bene, avrò ancora bisogno di te. Tròvati sempre, dalle due alle tre, al caffè dei Quattro Cantoni come quest'oggi. Intesi?»

«Sì, sì...»

La voce del gióvane s'era spenta. Come se fosse naufragata nei singhiozzi che non riusciva ad eméttere.

«Vieni, rifacciamo la strada insieme.»

Ma restàrono muti finché non si salutàrono all'àngolo di Via della Murella.

*

Èrano le nove di sera. Fontanella, la strada solitaria degli innamorati,

negare qc. a qu. *j-m et. verweigern*
quindi *also, folglich*
amméttere *zugeben*
disperato *verzweifelt*
valere *gelten; wert sein*
quanto *soviel wie*
accòrgersi di qc. *et. bemerken*
senza accòrgersi *ohne es zu wissen*
arrestare *verhaften*
non facciamo (*v.* fare) storie *machen wir keine Geschichten*
ascóltami bene *hör mir gut zu*
trovarsi *sich einfinden*
quest'oggi *heute*
intesi? *einverstanden?*
spègnersi *erlöschen*
naufragare *untergehen*
singhiozzo *m Schluchzen*
eméttere *ausstoßen*
rifare la strada *denselben Weg zurückgehen*
restare muti *kein Wort wechseln*
solitario *einsam*

incastrata fra due alte mura, rischiarata da fioche làmpade dentro lanterne antiche, era tutto un bisbigliar di dolci voci.

Da Salicotto giungeva l'eco di un coro che partiva stonato dalla béttola di Poldino. Era la serenata che parlava ai cuori degli innamorati in Fontanella.

Sul muro anche i gatti si azzuffàvano, lamentàndosi, cantando all'amore le loro melodìe.

Le coppie passàvano tagliando la luce delle làmpade per sparire nel buio. Ombre, ombre nere che si allungàvano per strìngersi fino a scomparire sotto la làmpada e tornare poi a riallungarsi e pèrdersi all'infinito.

Buchetta aveva aspettato Irene di fronte alla chiesa di S. Giuseppe e con lei ora era entrato nel mistero dolce di Fontanella. S'era guardato indietro, sospettoso, poi aveva stretto a sé la ragazza come per difèndersi e difènderla.

«Irene!»

«Che vuoi?»

«Vieni, vieni. Tu sapessi...»

«Renato, parla, ho tanta paura, lo sai?»

«Sì, sì, è successo quello che prevedevo. Sono perduto, Irene. Siamo perduti!»

«Che cosa è stato?...»

«Sssss... non parlare così forte. Aspetta.»

Solo le antiche mura di Siena, alle quali èrano addossati, potévano udire le voci dei due innamorati.

incastrato *eingezwängt*
mura *f/pl. Mauern; Stadtmauer*
rischiarato *erhellt*
fioco *schwach*
bisbigliar *m Geflüster*

partire da *ausgehen von*
stonato *verstimmt, falsch*
béttola *f Kneipe*

azzuffarsi *sich raufen*

coppia *f Paar*
tagliare *durchschneiden*

ombra *f Schatten*
allungarsi *länger werden*
strìngersi *sich zusammenziehen*

all'infinito *ins Unendliche*

di fronte *gegenüber*

mistero *m Geheimnis*

guardarsi indietro *zurückblikken*
sospettoso *argwöhnisch*
strìngere a sé *an sich ziehen*
difèndere *verteidigen, schützen*

succèdere *geschehen, passieren*
prevedere *voraussehen*

parlare forte *laut sprechen*

addossare *anlehnen*

«... ma io ho negato. Negato sempre. Sosterrò il confronto col farmacista anche in corte d'assise.»

sostenere *ertragen, bestehen*
confronto *m Gegenüberstellung*
corte *f* d'assise *Schwurgericht*

«Renato, tu non puoi fare questo. Non devi sacrificarti per me. Domani andrò io a dire la verità.»

sacrificarsi *sich opfern*

«Tu sei pazza, Irene, pazza! non ti crederèbbero mai.»

«E perché?»

«Perché non si può crédere una cosa sìmile!»

Vènere privata

di G. Scerbanenco

«Cosa?» ma aveva già visto: una 230 Mercedes era comparsa dal fondo della strada, rallentava davanti al palazzone poi entrava nello spiazzo cementato e rovente, e quieta quieta parcheggiava tra le strisce bianche.

Dàvide continuava a guardare col cannocchiale. «Io l'ho già vista quella màcchina, stesso modello, stesso colore della carrozzerìa, deve èssere la stessa, non ce ne sono molte in giro di 230 ed è diffìcile che due àbbiano lo stesso colore.»

«Dove l'ha vista?» Adesso dalla 230 scendeva calmo un uomo, sembrava gióvane, anche se un po' grosso, e sembrava non avesse assolutamente fretta.

La voce di Dàvide era inquieta. «L'anno scorso, quel giorno con Alberta.»

«Mi dia il cannocchiale.» Guardò il gióvane, lo vedeva come a cinque metri di distanza, per molti poteva avere l'aspetto del bravo figlio, ma per lui, mèdico e psicòlogo nonostante tutto, no. Era la peggiore faccia di criminale che esistesse, quella che non dà sospetto.

«Sull'autostrada, l'ho vista un paio di volte prima di arrivare a Somaglia, poi quando sono tornato verso Milano e Alberta piangeva, era ancora dietro; a Metanòpoli poi l'ho superata e la

comparire *erscheinen*
fondo *m Ende*
rallentare *langsamer fahren*
spiazzo *m freier Platz*
rovente *glühendheiß*
quieto quieto *sehr vorsichtig*
striscia *f Streifen*
cannocchiale *m Fernrohr*
èssere in giro *unterwegs sein; im Verkehr sein*
scéndere calmo *langsam aussteigen*
non ... assolutamente *durchaus nicht*
aver fretta *eilig sein*
inquieto *unruhig*
quel giorno *an dem Tag*
distanza *f Entfernung*
avere l'aspetto di *aussehen wie*
nonostante tutto *trotz allem*
peggiore *schlimmste, übelste*
criminale *m Verbrecher*
dare sospetto *Verdacht erregen*
autostrada *f Autobahn*
un paio di volte *ein paarmal*
prima di arrivare a S. *bevor wir in S. ankamen*
verso *nach*
era ancora dietro *er war noch hinter uns*
superare *überholen*

230 sembrava stesse per fermarsi.» Il ricordo, dopo un anno, era vividìssimo, Alberta e tutto ciò che la riguardava non era una memoria làbile. E adesso, anche, comprendeva che cosa aveva significato, un anno prima, quella màcchina, e che cosa significava ora.

E l'aveva compreso anche lui. «Ha proprio l'aria dell'assassino,» disse, posando il cannocchiale sul baule della Giulietta, non c'era più niente da vedere, il sicario era entrato nel palazzone, la 230 si arroventava al sole.

«Che cosa facciamo?» disse Dàvide, sembrava divenuto verde, ma non era per il riflesso delle foglie del pergolato.

Non c'era molto da fare, quasi niente. Ormai tutto era chiaro. Il signore così distinto coi baffi grigi seduceva le ragazze inquiete della città, qualcuno del mestiere le fotografava, e quello della 230 sorvegliava e puniva le indisciplinate, le ribelli, quelle che pensàvano a tradire per liberarsi dallo sfruttamento. Inoltre, le fotografìe scottàvano, per una foto quella gente ammazza, una, due, dieci donne.

«Dobbiamo andare sùbito su,» disse Dàvide.

Sì, naturalmente, dovévano accórrere immediatamente, l'uomo che aveva stordito e poi svenato Alberta, che aveva portato la pòvera Maurilia a Roma per annegarla nel Tévere, avrebbe ucciso anche Livia Ussaro al mìnimo sospetto.

«Dobbiamo restare qui,» disse. Pensò che forse stava divenendo verde anche lui, per lo meno si sentiva la pelle del viso come fosse verde.

stare per fermarsi *gerade anhalten wollen*
riguardare qu. *j-n betreffen*
memoria *f* làbile *flüchtige Erinnerung*
comprèndere *begreifen*
significare *bedeuten*
aver l'aria *das Aussehen haben*
posare *hinlegen*
baule *m Kofferraum (im Auto)*
Giulietta *f Giulietta (eine Automarke)*
sicario *m (gedungener) Meuchelmörder*
arroventarsi *glühend werden*
divenire verde *(im Gesicht) grün werden*
pergolato *m Laubengang*
distinto *fein, vornehm*
baffi *m/pl. Schnurrbart*
sedurre *verführen*
qualcuno del mestiere *irgendeiner vom Fach*
sorvegliare *überwachen*
punire *bestrafen*
ribelle *f Aufrührerin*
pensare a *gedenken, beabsichtigen*
tradire *verraten*
sfruttamento *m Ausbeutung*
scottare *brennen; hier: gefährlich sein*
ammazzare *umbringen*
andare su *hinaufgehen*
accórrere *herbeilaufen; hier: eingreifen*
stordire *betäuben*
svenare *die Adern aufschneiden*
annegare *ertränken*
al mìnimo sospetto *beim geringsten Verdacht*
per lo meno *mindestens*
pelle *f* del viso *Gesichtshaut*

«Ma quello è l'uomo che ha ucciso Alberta, ci ha seguito per tutto il viaggio, quel giorno.»

«Sì, è lui. Ma se andiamo su, ora che abbiamo sfondato il portone e poi la porta dell'appartamento, lui se vuole può uccìdere Livia, ne ha tutto il tempo.» Gli spiegò la sémplice e infelice situazione. L'ùnica speranza era che l'uomo non sospettasse di Livia, che la facesse fotografare e la lasciasse uscire, come una delle tante ragazze che dovévano èssere passate di lì. E non vi èrano motivi perché quello sospettasse, Livia non si era incontrata con nessuno dopo aver visto il signor A., non aveva fatto nulla di sospetto, era uscita di casa ed era venuta a farsi fotografare. Livia era àbile, sapeva come doveva fare. Inoltre, se quella gente avesse avuto il mìnimo sospetto, non sarebbe neppure arrivata fin lì, a méttersi in tràppola, sarebbe semplicemente scomparsa. Loro sorvegliàvano, non sospettàvano. Se andàvano a «salvare» Livia, la uccidévano soltanto, perché la smascheràvano. Il vero modo di salvarla era di rimanere lì, ad attèndere che uscisse.

«E se non esce?»

L'angoscia del gióvane Dàvide lo innervosiva, lui almeno la nascondeva. «Non pòssono rimanere sempre lì. O non sospèttano nulla, la fotògrafano e poi la làsciano andare, oppure scòprono qualche cosa e cercheranno di fuggire.»

«E Livia?»

Adesso basta. Pensava anche lui a Livia, o era un pregare, più che pensare. Così non gli rispose.

seguire qu. *j-n verfolgen*
per tutto il viaggio *während der ganzen Fahrt*
ora che *jetzt da*
sfondare il portone *das Tor einschlagen*
porta *f* dell'appartamento *Wohnungstür*
ne ha tutto il tempo *er hat viel Zeit dazu*
infelice *unglücklich*
sospettare di qu. *j-n im Verdacht haben*
far fotografare *photographieren lassen*
una delle tante ragazze *eines der vielen Mädchen*
èssere passato di lì *drüben vorbeigekommen sein*
incontrarsi con nessuno *sich mit niemandem treffen*
nulla di sospetto *nichts Verdächtiges*
àbile *geschickt*
fare *handeln*
méttersi in tràppola *in die Falle gehen*
semplicemente *einfach*
salvare *retten*
smascherare *entlarven*
angoscia *f Angst*
innervosire *nervös machen*
nascóndere *verbergen*
o ... oppure *entweder ... oder*
cercare di fuggire *versuchen zu fliehen*

I minuti in un' ora sono sessanta e trascorrévano regolarmente a uno a uno, il giovanotto che dormiva nella casetta da Corriere dei Pìccoli si svegliò al passaggio di un trattore sullo stradone, guardò il mondo fuori, la Giulietta e i due uòmini che facévano parte di quel mondo, poi dovette ricordarsi delle cinquemila lire e si accese una sigaretta mettèndosi probabilmente a pensare al modo di spènderle. Non èrano in fondo che le due e venticinque e si trattava solo di sapere quanto tempo occorreva a un fotògrafo a farsi tutto un caricatore Minox. Lui non lo sapeva, dipendeva anche dalla modella, ma aveva pensato che non poteva èssere meno di mezz'ora.

Dàvide sapeva di non dover parlare, ma c'era un lìmite. «Non possiamo stare qui ad aspettare,» disse.

«No,» lui guardò l'orologio, era passata quasi esattamente mezz'ora da quando Livia era discesa dal tassì. «Dobbiamo stare proprio qui ad aspettare.»

E poi accadde quella cosa, che vìdero uscire i due uòmini dal condominio Ulisse, e uno dei due uòmini era quello della 230, che adesso sembrava avere un po' di fretta, era tutt'altro che pacioso come prima e, per non più di un millèsimo di secondo attésero di vedere uscire da quel tempio atzeco anche Livia, ma i due èrano soli e stàvano raggiungendo la 230 e dàvano proprio l'idea di due che scàppano.

«Cerchi di bloccarli,» disse a Dàvide. Avévano lo svantaggio di quasi trecento metri per raggiùngere il condominio,

trascórrere *vergehen*
a uno a uno *eine (Minute) nach der anderen*
Corriere *m* dei Pìccoli *„Kinderpost" (eine Kinderzeitschrift)*
svegliarsi *aufwachen*
al passaggio *beim Vorbeifahren*
stradone *m Chaussee, Landstraße*
far parte di quel mondo *zu dieser Welt gehören*
méttersi a pensare *anfangen zu überlegen*
spèndere *ausgeben*
non ... che *nur; hier: erst*
in fondo *schließlich*
trattarsi di *sich handeln um*
occórrere (a qu.) *nötig sein, brauchen*
farsi tutto *hier: abknipsen*
caricatore *m Filmkassette*
dipèndere da *abhängen von*
modella *f Modell*
èssere meno di mezz'ora *weniger als eine halbe Stunde dauern*
lìmite *m Grenze*
guardare l'orologio *auf die Uhr sehen*
disceso (*v.* discéndere) *ausgestiegen*
accadere *geschehen*
vìdero (*v.* vedere) *sie sahen*
condominio *m hier: Wohnblock (mit Eigentumswohnungen)*
tutt'altro che *alles andere als*
pacioso *ruhig*
per non più di *nicht länger als*
tempio *m* atzeco *Aztekentempel*
stare raggiungendo *gerade erreichen*
dare l'idea *den Eindruck erwecken*
scappare *weglaufen*
bloccare *blockieren; aufhalten*
svantaggio *m Nachteil*

ma avévano il vantaggio che la màcchina era pronta, con le portiere aperte, e non dovévano far altro che méttere in moto. Gli altri invece stàvano adesso aprendo la portiera della loro.

E nel tempo che loro occorse, Dàvide partì, mangiò il sentiero, inghiottì i duecento metri di stradone che lo separàvano e puntò sul muso della 230, praticamente deciso a investirla.

La 230 scartò con violenza, la via per Milano dove poteva pèrdersi nel tràffico le era chiusa, si buttò per lo stradone verso Melzo, mentre Dàvide perdeva qualche secondo a fare marcia indietro per riméttersi sulla mano. L'uomo al volante della Mercedes guidava terribilmente sicuro sullo stradone quasi vuoto, aveva ancora trecento metri o più di vantaggio, tirava diritto come un aèreo e lui allora disse a Dàvide una cosa stùpida: «Anche se non li prendiamo, pazienza, li prenderemo più tardi.»

«Li ho già presi,» disse Dàvide. Lui era qualche cosa di più che terribilmente sicuro della guida, era cieco di furore. Come se la màcchina davanti fosse un ciclomotore d'improvviso le fu addosso, ancora un secondo e l'avrebbe sorpassata.

«Stia attento che svòltano,» disse a Dàvide. Doveva dirgli anche stia attento che spàrano, ma non glielo disse: se sparàvano non potévano farci nulla.

Svoltàrono, infatti, per non èssere bloccati sullo stradone, dovévano avere intenzione di scéndere d'improvviso e buttarsi per i campi, se facévano così

vantaggio *m Vorteil*
portiera *f Wagentür*
méttere in moto *in Gang setzen*
stare aprendo *gerade öffnen*
mangiare *(auf)fressen*
sentiero *m Weg*
inghiottire *verschlucken*
puntare su *zusteuern auf*
muso *m Schnauze*
praticamente deciso *fest entschlossen*
investire *anfahren, zusammenstoßen*
scartare *ausbrechen*
buttarsi per lo stradone *sich auf die Landstraße stürzen*
fare marcia indietro *den Rückwärtsgang einschalten*
riméttersi sulla mano *wieder auf die rechte Fahrbahn kommen*
volante *m Steuer*
guidare *fahren*
tirare diritto *hier etwa: vorwärtsschießen*
prèndere *erwischen, fassen*
pazienza *f Geduld; hier: macht nichts*
guida *f Steuern, Fahren*
cieco di furore *wutentbrannt*
la màcchina davanti *das vordere Auto*
ciclomotore *m Moped*
d'improvviso *mit einemmal*
èssere addosso a qc. *neben et. sein*
sorpassare *überholen*
star attento *achtgeben*
svoltare *einbiegen*
sparare *schießen*
avere intenzione *vorhaben*
scéndere d'improvviso *plötzlich aussteigen*
buttarsi per i campi *durch die Felder fliehen*

non èrano armati, e se non èrano armati èrano morti, perché la strada dove èrano stati costretti a svoltare era un moncone di un centinaio di metri che finiva davanti ad un grosso cascinale.

Delle galline volàrono in aria, un cane legato a una lunga catena, ululando, tentò di volare anche lui, una contadina in calzoncini, reggiseno e cappellone di paglia, rimase di pietra con una specie di forcone in mano nel vedere esplòdere le due auto davanti a lei e fu più un'esplosione che una frenata. Le quattro portiere delle due màcchine si aprìrono contemporaneamente, ma lui e Dàvide corrévano di più, lui afferrò l'uomo, il sàdico, prima che avesse fatto il terzo passo e prima che potesse capire di èssere stato preso, lo centrò con un calcio nello stòmaco che glielo stese davanti, nel polverume davanti al cascinale, ululante e abietto.

Dàvide aveva preso quell'altro e lo teneva per un braccio, senza fargli niente, perché era un buono, ma l'invertito starnazzava, gridava istericamente aiuto aiuto, e non era così stùpido come poteva sembrare a gridare aiuto, se riusciva a creare della confusione, a far crédere che era un onesto cittadino aggredito, anche solo per un minuto, poteva scomparire.

Allora Duca lasciò il sàdico che mugolava in terra, tanto non poteva rialzarsi, se non gli aveva sfondato lo stòmaco era un caso, la sua intenzione era precisamente quella, e passò al settore invertiti, non sapeva ancora che era un invertito, ma il modo di

armato *bewaffnet*
èssere costretto *gezwungen werden*
moncone *m Stumpf; hier: Sackgasse*
cascinale *m Meierhof*
volare in aria *in die Luft fliegen*
catena *f Kette*
ululare *heulen*
tentare *versuchen*
calzoncini *m/pl. kurze Hose*
reggiseno *m Büstenhalter*
cappellone *m* di paglia *Strohhut*
rimanere di pietra *verblüfft dastehen*
specie *f Art*
forcone *m Mistgabel*
nel vedere *als sie sah*
frenata *f Bremsen*
contemporaneamente *gleichzeitig*
córrere di più *schneller laufen*
afferrare *packen*
sàdico *m Sadist*
prima che *bevor*
èssere preso *festgenommen werden*
centrare *voll treffen*
calcio *m Fußtritt*
glielo stese (*v.* stèndere) davanti (*er*) *streckte ihn vor ihm hin*
polverume *m Staubwolke*
abietto *verächtlich; gemein*
invertito *m Invertierte*(*r*)
starnazzare *hier: um sich schlagen*
creare della confusione *Verwirrung stiften*
aggredire *überfallen*
mugolare in terra *am Boden winseln*
tanto *zumal*
sfondare *durchstoßen*
caso *m Zufall*
il modo di gridare *die Art wie er schrie*

gridare lo mise in sospetto e quando lo ebbe davanti ne fu certo.

«Guarda in basso, carogna,» gli disse.

L'imprevista richiesta fece zittire per un àttimo l'invertito, poi, col suo spìrito di contraddizione femminile, alzò ancora di più il viso e gridò ancora più forte aiuto. Era quello che lui voleva, per colpirlo sul pomo d'Adamo. Neppure come mèdico si era mai preoccupato di sapere cosa accadeva a un pomo d'Adamo colpito in quel modo, per il momento accadde solo che l'invertito zittì di colpo e si afflosciò addosso a Dàvide.

«Polizìa,» disse Duca.

Un vecchio, robusto contadino era comparso d'improvviso. Gli mise sotto gli occhi la tèssera dell'Ordine dei mèdici, romanticamente la teneva sempre nel portafogli.

«Sono assassini, hanno ucciso due donne, dàteci un posto per tenerli chiusi.»

Poi venne fuori un giovanotto, poi una vecchia, poi due ragazzi e anche se con fatica, ma capìrono, specialmente la parola polizìa.

«La stalla,» disse il vecchio.

«La stalla va benìssimo.»

C'era solo un grosso cavallo da traino, era veramente una stalla, non uno di quegli ostelli scintillanti con aria condizionata che si védono alla televisione. Buttàrono nel fradiciume i due, uno mugolava con le mani sullo stòmaco, cosciente, ma impotente, l'altro era svenuto o era morto soffocato?, non era urgente saperlo.

méttere qu. in sospetto *in j-m Verdacht erwecken*
carogna *f Saukerl*
imprevista richiesta *f unerwarteter Befehl*
far zittire *zum Schweigen bringen*
spìrito *m* di contraddizione *Widerspruchsgeist*
colpire *schlagen, treffen*
pomo *m* d'Adamo *Adamsapfel*
neppure come *nicht einmal als*
preoccuparsi di *sich kümmern um*
afflosciarsi *zusammensacken*
tèssera *f Ausweis*
Órdine *m* dei mèdici *Ärztekammer*
portafogli *m Brieftasche*
dàteci un posto *stellen Sie uns einen Platz zur Verfügung*
con fatica *mühsam*
stalla *f Stall*
va benìssimo (*er*) *paßt sehr gut*
cavallo *m* da traino *Zugpferd*
ostello *m* scintillante *glänzende Herberge*
aria *f* condizionata *Klimaanlage*
fradiciume *m Fäulnis*
svenire *in Ohnmacht fallen*
soffocare *ersticken*
sapere *erfahren*

«Dàvide, adesso vada al condominio, trovi Livia, veda che cosa è successo, poi telèfoni a Carrua, gli spieghi tutto e gli dica di venire sùbito qui.» Questa era urgente, Livia.

«Intanto io parlo con loro. Vada.»

Nelle stalle non fa tanto caldo, solo si sèntono di più gli odori, d'estate. La luce veniva da due buchi rotondi in alto, ma era sufficiente. Quando sentì che Dàvide era partito, si proibì di pensare a qualunque cosa che non fóssero quei due. Stette in piedi davanti a quello che si teneva le mani sullo stòmaco e adesso non si lamentava più, la paura era più forte del dolore.

«Che cosa hai fatto alla ragazza?»

«Quale ragazza?» tentava di tirarsi su perché si sentiva scórrere per la camicia il fradiciume lutulento che faceva da tappeto persiano al pavimento della stalla.

Col piede, ma senza colpirlo, solo premendo, lo costrinse a riadagiarsi nella mota.

«Stai a sentire,» gli disse, «e sono contento che ti sei svegliato anche tu,» disse all'altro che aveva aperto gli occhi e boccheggiava, «così sentite tutti e due la mia proposta. Io faccio delle domande, e voi rispondete. Se le vostre risposte sono come si deve, bene, andrete semplicemente in galera. Se sono sbagliate, andate al cimitero, vi rompo pezzetto per pezzetto, osso per osso, la polizìa dovrà chiamare l'autoambulanza col telone impermeàbile. Siamo d'accordo? Prima ti ho domandato cosa hai fatto alla ragazza. Tu hai risposto quale ragazza. Questa non è la

trovare *hier: suchen*
successo (*v.* succèdere) *geschehen*
venire qui *herkommen*
sentire gli odori *den Geruch empfinden*
buco *m* rotondo *rundes Loch*
proibirsi *sich verbieten*
tenersi *hier: drücken*
lamentarsi *sich beklagen*
più forte di *stärker als*
tirarsi su *aufstehen*
scórrere *laufen*
lutulento *schlammig*
fare da *gelten als*
prèmere *drücken*
riadagiarsi *sich noch einmal legen*
mota *f Schlamm*
stai a sentire *hör zu*
svegliarsi *aufwachen*
boccheggiare *nach Luft schnappen*
proposta *f Vorschlag*
fare delle domande *Fragen stellen*
come si deve (*v.* dovere) *wie es sich gehört*
semplicemente *nur*
galera *f Gefängnis*
sbagliato *falsch*
pezzetto per pezzetto *Stückchen für Stückchen*
autoambulanza *f Krankenwagen*
telone *m Plane, Leinwand*

risposta esatta. Adesso te lo ridomando, cerca di rispóndere bene, guarda che ti conviene rispóndere come si deve: cosa hai fatto alla ragazza?»

Silenzio. Il cavallo, lì vicino, neppure volgeva il capo, sembrava di legno.

«Avevo capito che era una venuta lì mandata dalla polizìa, avevo il dubbio, dovevo farla parlare.»

«Cosa le hai fatto?»

Il sàdico ebbe qualche conato di vòmito, si contorse per il mal di stòmaco, vero, poi disse che cosa le aveva fatto. E lui non fece niente, stette immòbile e cercò di non pensare a Livia.

«E lei ha parlato?» domandò.

No, rispose il sàdico, continuava a far capire che non aveva niente da dire e allora lui si era quasi convinto che non era una venuta a spiare, l'aveva lasciata pèrdere ed èrano venuti via.

«Perché non l'hai ammazzata? Adesso quella ragazza ha un sacco di cose da raccontare.»

«Ma io non sono un assassino.»

«Questa non è una risposta come si deve.» Col tacco della scarpa lo colpì secco quasi alla tempia, all'attaccatura della mascella. Udì un gèmito, ma l'uomo non perse conoscenza, esattamente come lui desiderava: lo avrebbe disfatto, smontato, senza che svenisse. «Tu sei un assassino e se non l'hai ammazzata avevi il tuo motivo. È meglio che lo dici.» L'uomo pensava di èssere furbo, chiuse gli occhi e finse di èssere svenuto, non immaginava la sua sfortuna: l'interrogante era un mèdico.

ridomandare *wieder fragen*
cercare di *sich bemühen zu*
ti conviene (*v.* convenire) *es ist für dich vorteilhaft*
vòlgere il capo *den Kopf drehen*
venuta lì mandata dalla polizìa *von der Polizei zu uns geschickt*
avere il dubbio *im Zweifel sein*
far parlare *zum Sprechen bringen*
conato *m* di vòmito *Brechreiz*
contòrcersi *sich winden*
immòbile *still*
continuava a far capire *sie hat beständig zu verstehen gegeben*
convinto (*v.* convìncere) *überzeugt*
non era una venuta a spiare *sie war nicht zum Spionieren gekommen*
l'aveva lasciata pèrdere *hier: er hatte sie stehenlassen*
un sacco di cose *vieles, eine Menge*
tacco *m* della scarpa *Absatz*
secco *mitleidslos*
attaccatura *f Verbindungsstelle*
gèmito *m Stöhnen*
pèrdere conoscenza *das Bewußtsein verlieren*
esattamente *genau(so)*
disfatto (*v.* disfare) *zerbrochen; erschöpft*
smontato *zerlegt; entmutigt*
èssere furbo *sich schlau verhalten*
fìngere di *so tun als ob*
èssere svenuto *ohnmächtig geworden sein*
interrogante *m Fragesteller*

«So benìssimo che non sei svenuto. Rispondi, o contìnuo.»

Quello riaprì sùbito gli occhi. «Mi hanno detto di fare così, io non c'entro, devo fare quello che mi dìcono.»

«Sì, lo so che cosà ti hanno detto. Ogni tanto si ammazza e ogni tanto si sfregia. È un sistema antico. Tu non sei della Mafia, ma sei stato addestrato da mafiosi, avrai seguito anche un ràpido corso di sfregio. O mi sbaglio?»

Taceva.

«Rispondi.»

Guardò il tacco della scarpa a un centìmetro dal naso. «A Torino, avevo conosciuto due meridionali, ma ero un giovanotto, lo facevo come per giocare.»

«Naturale, ti hanno insegnato l'anatomìa dei mùscoli facciali, il punto dove incìdere e il tipo d'incisione da fare, quella a M per esempio non si accòmoda più con nessuna plàstica.» Cose che gli aveva spiegato suo padre, quando lui aveva messo i calzoni lunghi e finalmente il padre aveva potuto parlargli della Mafia. Non avrebbe dedicato un solo minuto a tutta quella storia se non avesse sentito che c'era lo stile violento e spietato della Mafia. No, quei due buzzurrelli non èrano della Mafia, e neppure il loro capo locale, e neppure quello nazionale, probabilmente, ma il teòrico, lo sfruttatore della grossa banda, era certamente della Mafia e prendeva il cinquanta per cento.

«Lasciare in giro una donna sfregiata in quel modo, fa buona pubblicità, quasi più di un'ammazzata. I gior-

mi hanno detto (*v.* dire) *man hat mir gesagt*
io non c'entro *ich habe nichts damit zu tun*
ogni tanto *ab und zu*
sfregiare qu. *j-m das Gesicht durch eine Schnittwunde verunstalten*
addestrare *ausbilden*
mafioso *m Mitglied der Mafia*
seguire un corso *einen Kursus mitmachen*
sfregio *m Verunstaltung, Entstellung*
sbagliarsi *sich täuschen, sich irren*
meridionale *m Südländer*
insegnare qc. a qu. *j-m et. beibringen*
mùscolo *m* facciale *Gesichtsmuskel*
punto *m* Stelle
incìdere *einschneiden*
accomodare *ausbessern*
dedicare *widmen*
spietato *erbarmungslos*
buzzurrello *m Grobian*
capo *m* locale *Ortsführer*
sfruttatore *m Ausbeuter*
lasciare in giro *am Leben lassen*
in quel modo *auf diese Art*
pubblicità *f Reklame*

nali ne pàrlano, le ragazze si spavèntano, se non fanno le brave succederà così anche a loro, non è fàcile tenere a freno centinaia e centinaia di donne che sanno molte cose, che vorrèbbero tornare indietro, ma coi sistemi che vi hanno insegnato gli istruttori della Mafia, ci riuscite. E adesso dimmi chi è quel signore coi baffi grigi che ha fermato la ragazza ieri sera.»

Nessuna risposta.

«Guarda che so molte cose, siete in tre, quel signore che è il capo della zona, tu e il tuo amico vicino a te. Voi conoscete solo questo capo, ma lui conosce tante altre interessanti persone. Dammi il nome, cognome, indirizzo di questo signore. Tu non sei un vero mafioso, siete degli allievi, non ce la farai a resìstere.» Delicatamente gli appoggiò il piede sullo stòmaco e cominciò a prèmere.

Quello urlò che bastava, ebbe un conato di vòmito, poi disse nome, cognome, indirizzo, e anche altro, molto interessante.

«Bravo. Adesso se ci tieni allo stòmaco, mi dici, coi particolari, come hai ammazzato Alberta Radelli.»

Col piede sullo stòmaco, l'uomo lo disse sùbito. Aveva capito. E lui lo ascoltò, e intanto poteva vedere che suo padre aveva avuto ragione. «Devi parlare il loro linguaggio. Non puoi parlare il francese con uno che capisce solo il tedesco.» Certo non era giusto, certo una polizìa come si deve non usa il linguaggio della violenza, ci sono le impronte digitali, le anàlisi di laboratorio, gli eleganti interrogatori, le persua-

spaventarsi *erschrecken*
fare le brave *sich gut verhalten*
succèdere *zustoßen, widerfahren*
tenere a freno *im Zaum halten*
ci riuscite *es gelingt euch*
guarda *gib acht; hier: bedenke*
dare il nome *den Namen nennen*
vero *echt*
allievo *m Schüler; hier: Anfänger*
non ce la farai a resìstere *du wirst nicht lange Widerstand leisten können*
tenerci a *Wert legen auf*
particolare *m Einzelheit*
e intanto *und dabei*
parlare il linguaggio di qu. *die Sprache j-s sprechen*
impronta *f* digitale *Fingerabdruck*
anàlisi *f Analyse*
interrogatorio *m Vernehmung*
persuasione *f Überzeugung*

sioni psicològiche. Ma lui non era la polizìa, era un gióvane fallito che non poteva sentire la parola Mafia senza rivedere suo padre col braccio inceppato da quella coltellata e ridotto per sempre, da quella coltellata, a grigio scritturale di questura, secondo piano, stanza 92, proprio in fondo. Sì, lo sapeva, si trattava di un volgare, ancestrale istinto di vendetta, non aveva cercato la giustizia, non aveva voluto aiutare la legge, voleva solo vedere in faccia qualcuno di quelli, e parlare con loro la loro lingua perché così ci si capiva sùbito.

fallito *gescheitert, ruiniert*

inceppato *gehemmt*

coltellata *f Messerstich*

grigio scritturale *m* di questura *unbedeutender Schreiber im Polizeipräsidium*

proprio in fondo *ganz hinten*

ancestrale *vererbt*

vendetta *f Rache*

cercare la giustizia *nach Gerechtigkeit streben*

vedere in faccia *ins Gesicht sehen*

qualcuno di quelli *irgend jemand von ihnen*

Quellenverzeichnis

Il candeliere a sette fiamme: *Di A. De Angelis.* Casa Editrice Feltrinelli

Le principesse di Acapulco: *Di G. Scerbanenco.* Casa Editrice Garzanti

Tempo di massacro: *Di F. Enna.* Casa Editrice Mondadori

I giovedì della signora Giulia: *Di P. Chiara.* Casa Editrice Mondadori

L'albergo delle tre rose: *Di A. De Angelis.* Casa Editrice Feltrinelli

La donna di fiori: *Di M. Casacci e A. Ciambricco.* Casa Editrice Cappelli

Lunedì, muore Veronica: *Di G. Trotta.* Casa Editrice Mondadori

Il mistero delle tre orchidee: *Di A. De Angelis.* Casa Editrice Feltrinelli

Un regno è un regno: *Di G. Rosato.* Casa Editrice Edikon

La contrada: *Di S. Gigli.* Casa Editrice R. Sandron

Venere privata: *Di G. Scerbanenco.* Casa Editrice Garzanti

Humboldt - Taschenbücher

ht praktische ratgeber

ht 47 Ratgeber für Kinderspiele
ht 80 Erziehen
ht 144 Der Weg zur Spitze
ht 159 Kindersorgen - Sorgenkinder
ht 172 Alle Kinder basteln mit
ht 176 Der Arzt antwortet
ht 189 Glücklicher Lebensabend
ht 191 So lernt man leichter
ht 193 Alle Kinder raten mit
ht 194 Haushalt mit d. Rechenstift
ht 197 Eselsbrücken
ht 201 Gespräche mit dem Seelenarzt
ht 203 Schönheitstips
ht 207 Erste Hilfe
ht 210 Vornamen
ht 211 Buchführung
ht 212 Katzen
ht 213 Haushaltstips
ht 214 Sekretärin - mit Erfolg
ht 215 Hilfe, ich muß erziehen!
ht 216 Ruhestand
ht 217 Eigentum statt Miete
ht 218 Mixgetränke
hf 219 Tiefkühlkost
hf 220 Schnellküche
hf 221 Kalte Küche
hf 222 Fleischgerichte
hf 223 Fischgerichte
hf 224 Dackel
hf 226 Traumbuch
hf 229 So schreibt man
ht 230 Kneippkur
ht 233 Unser Baby
ht 234 Anstreichen - Tapezieren
ht 235 Werken und Basteln mit Holz
ht 236 Ratgeber für Zuckerkranke
ht 239 Schulsorgen?
ht 240 Nähen - mein Hobby
ht 242 Alle Kinder schenken (Okt.)
ht 245 Zimmerpflanzen (Nov.)
ht 247 Reden und Ansprachen (Dez.)
ht 250 Herzinfarkt verhüten u. überwinden (Feb. 75)
ht 251 Bewerbungsbriefe (Feb. 75)

ht freizeit · hobby · quiz

ht 23 Frag mich 3300 x
ht 58 Briefmarkensammler
ht 68 Wer weiß es?
ht 79 Frag mich was!
ht 82 Das ist Yoga!
ht 83 Frag noch was!
ht 85 Schach für Anfänger
ht 90 Frag weiter!
ht 91 Kreuzworträtsellexikon
ht 110 Basteln und Werken
ht 118 Wer ist das?
ht 123 Segelsport
ht 143 Wer knobelt mit?
ht 147 Vogelvolk
ht 155 Tonaufnahmen für alle
ht 158 In Teich und Tümpel
ht 160 Lexikon des Sports
ht 161 Großwild in Afrika
ht 164 Zaubertricks
ht 171 Zierfische - mein Hobby
ht 174 Quiz in Wort und Bild
ht 178 Selbstverteidigung
ht 182 Sport-Quiz
ht 184 Geschützte Pflanzen
ht 190 Spielen Sie mit!
ht 195 Spaß mit Tests
ht 198 Tiere bei uns zu Hause
ht 199 1 x 1 der Kartenspiele
ht 202 Der Garten
ht 204 Modern fotografieren
ht 205 Moderne Reitlehre
ht 206 Angeln und Fischen
ht 225 Teste Deine Intelligenz
ht 228 Gymnastik für alle
ht 231 Partybuch
ht 232 Modern filmen
ht 237 Mit Zahlen spielen
ht 241 Skilanglauf
ht 243 Kegeln - Bowling (Okt.)
ht 248 Skatbuch (Jan. 75)
ht 249 Mikroskopieren (Jan. 75)
ht 252 Tips f. d. Gartenarbeit (März 75)
ht 253 Tennis (März 75)

ht sprachen

ht 11 Englisch in 30 Tagen
ht 40 Französisch in 30 Tagen
ht 55 Italienisch in 30 Tagen
ht 57 Spanisch in 30 Tagen
ht 61 Englisch für Fortgeschrittene
ht 81 Russisch in 20 Lektionen
ht 108 Italienisch für Fortgeschrittene
ht 109 Französisch für Fortgeschrittene
ht 124 Dänisch in 30 Tagen
ht 183 Serbokroatisch für den Urlaub

ht moderne Information

ht 24 Wirtschaftslexikon
ht 43 Wörterbuch der Philosophie
ht 70 Musikinstrumente
ht 137 Mathematik - ernst und heiter
ht 140 Im Rausch der Drogen
ht 141 Lebendige Kunst
ht 142 Mengenlehre
ht 145 Viren greifen uns an
ht 146 Computerrechnen
ht 148 Verhaltensforschung
ht 149 Leben - wo beginnt es?
ht 150 Elektronen am Werk
ht 151 Wie Transistoren funktionieren
ht 152 Kultur
ht 153 Betriebswirtschaft
ht 154 Vitamine bauen uns auf
ht 156 Warum ist das Kunst?
ht 157 Kriminalistik
ht 162 Die Welt der Sinne
ht 163 Elektrotechnik
ht 165 Organische Chemie
ht 166 Revolution - Revolutionen
ht 167 Amerika
ht 168 Psychoanalyse
ht 169 Wir und das Weltall
ht 170 Erweitern Sie Ihren Wortschatz
ht 173 Technik formt unser Leben
ht 175 Rußland
ht 177 Mit Atomen leben
ht 179 Musik, Orchester, Komponisten
ht 180 Taschenlexikon der Antike
ht 181 Rechenschieber
ht 185 Japan
ht 186 Moleküle
ht 187 Die neuesten Wörter
ht 188 Südamerika
ht 192 Der Dreck, in dem wir leben
ht 196 Essen wir uns krank?
ht 200 Datenverarbeitung
ht 208 Pflanzen bestimmen
ht 209 Tiere bestimmen
ht 227 Weltatlas
ht 238 Taschenbuch der Psychologie
ht 244 Der 6. Sinn (Nov.)
ht 246 Taschenb. d. Volkswirtsch. (Dez.)

Änderungen in der Erscheinungsweise vorbehalten.

31974